# Albert Camus

# L'État de siège

*Édition présentée,*
*établie et annotée*
*par Pierre-Louis Rey*
Professeur à la Sorbonne Nouvelle

*Gallimard*

# PRÉFACE

Pour Jacques Copeau, « *une œuvre dramatique devait réunir, et non diviser, dans une même émotion ou un seul rire les spectateurs présents[1]* ». *Cette communion que Camus avait déjà cherchée avec* Révolte dans les Asturies *(1936), pièce écrite en collaboration avec trois de ses amis et qui visait à associer le public à l'action, il aspire à la trouver d'une autre façon quand, en collaboration avec Jean-Louis Barrault, il compose* L'État de siège. *Ce « spectacle en trois parties » présente sur la scène, en particulier grâce au Chœur, la collectivité d'une ville et appelle la participation, fût-elle muette, de la salle. Représenté pour la première fois au théâtre Marigny, à Paris, le 27 octobre 1948, le « spectacle » ne divisa guère : il obtint « sans effort l'unanimité de la critique. Certainement il y a peu de pièces qui aient bénéficié d'un éreintement aussi complet[2]* ». « *C'est un four* », *avouait Camus à Jean Grenier dès le 15 janvier 1949 alors que sa pièce, au bout de vingt-trois représentations, avait été retirée de l'affiche. Peut-être venait-elle*

1. Camus, « Copeau, seul maître », dans *Théâtre, récits, nouvelles*, Pléiade, p. 1699.
2. Camus, Préface à l'édition américaine du théâtre (1958), *ibid.*, p. 1732.

trop tard ? « *Montée et jouée dans le feu de la Libéra-tion* », *cette allégorie de la résistance à la dictature eût pu susciter plus de ferveur*[1].

L'initiative de l'œuvre revenait à Jean-Louis Bar-rault. Celui-ci avait projeté d'écrire une adaptation théâtrale du Journal de l'année de la peste, *de Daniel Defoe, inspirée des principes d'Antonin Artaud. Dans* Le Théâtre et son double, *paru en 1938, figure en effet un essai intitulé* « *Le Théâtre et la Peste* », *où Artaud écrit que,* « *de même que la peste, le théâtre est fait pour vider collectivement des abcès* [...]. *Le théâtre comme la peste est une crise qui se dénoue par la mort ou la guérison. Et la peste est un mal supé-rieur parce qu'elle est une crise complète après laquelle il ne reste rien que la mort ou qu'une extrême puri-fication. De même le théâtre est un mal parce qu'il est l'équilibre suprême qui ne s'acquiert pas sans destruc-tion*[2] ».

Camus et Barrault firent connaissance pendant la guerre. Qu'ils pussent se retrouver en Artaud, une réflexion notée par Camus en 1941 le laisserait suppo-ser : « *Le corps dans le théâtre : tout le théâtre français contemporain (sauf Barrault) l'a oublié*[3]. » A propos *d'*Autour d'une mère, « *action dramatique* » *de Jean-Louis Barrault, Artaud avait de son côté écrit :* « *Son spectacle prouve l'action irrésistible du geste, il démontre victorieusement l'importance du geste et du moment*

---

1. C'est en tout cas l'avis de Victor-Henry Debidour dans son compte rendu de *Bulletin des Lettres*, février 1949, n° 105, cité par Michel Autrand, « L'État de siège ou le rêve de la Ville au théâtre », dans *Albert Camus et le théâtre*, p. 60.
2. *Le Théâtre et son double*, Folio-Essais, p. 45-46.
3. *Carnets, I*, p. 237.

dans l'espace[1]. » *Camus pressentit Barrault pour inter-
préter le rôle de Caligula. Celui-ci ne put accepter en raison d'engagements antérieurs, mais il dut apprécier les
talents de metteur en scène de Camus le 19 mars 1944 à
l'occasion d'une représentation en chambre, chez Michel
Leiris, du* Désir attrapé par la queue, *de Picasso[2].
L'éclatant succès de* La Peste, *publiée en juin 1947,
incita sans doute Barrault à solliciter Camus pour qu'il
collabore à son projet. Cette collaboration aboutit à
l'échec que l'on sait. Barrault en analysa les raisons[3] :
il eût souhaité illustrer les principes d'Artaud, tandis
que Camus penchait vers Aristophane ; du moment où il
consentit à orienter le spectacle vers la farce, resurgit la
volonté de Camus de demeurer fidèle à « un certain mystère tragique ». Surtout, alors que Barrault envisageait
le fléau comme un phénomène salvateur, l'auteur de* La
Peste, *résistant et militant à* Combat, *ne pouvait la
concevoir autrement que comme un symbole du mal.
Quitte à donner des gages à ceux qui jugent l'ensemble
de l'œuvre de Camus pavée de bonnes intentions, on dira
qu'au disciple fidèle d'Artaud s'opposait le philosophe et
moraliste. Déjà mise en péril par l'inspiration différente
de ses deux auteurs, la pièce avait plus à perdre qu'à
gagner à s'enrichir des collaborations prestigieuses, mais
hétéroclites, de Honegger pour la musique et de Balthus
pour les décors.
À la différence de* Caligula *et du* Malentendu, L'État
de siège *dut être rapidement composé et son titre définitif trouvé peu avant la représentation. « Titre pièce.*

---

1. Article paru dans *La Nouvelle Revue Française* du 1er juillet 1935, recueilli dans *Le Théâtre et son double*, p. 218.
2. Voir Olivier Todd, *Camus*, p. 338.
3. Voir *infra*, p. 212.

*L'Inquisition à Cadix. Épigraphe : "L'Inquisition et la
Société sont les deux fléaux de la vérité." Pascal* »*, note
Camus pendant l'été de 1948*[1]. *La longue préparation
de* La Peste *(étude des symptômes de la maladie et des
attitudes qu'elle déclenche chez les habitants d'une cité,
réflexion sur le fléau du totalitarisme) a servi pour la
pièce, au point de la faire apparaître, malgré les déné-
gations de Camus*[2], *comme une adaptation du roman.*

On peut lire l'expression « état de siège » au début de
la troisième partie de La Peste[3], dont l'action se déroule,
comme celle de la pièce, dans une ville maritime, la mer
offrant dans les deux cas une échappée possible aux
assiégés. L'épidémie fait son apparition dans les quartiers populaires avant de gagner le centre de la ville;
observé d'un ton neutre dans La Peste, ce décalage
nourrit pour quelque temps, dans L'État de siège, le
lâche soulagement du Premier Alcade. Certains épisodes
se font écho d'une œuvre à l'autre : ainsi le comédien
qui s'effondre brutalement dans la première partie de la
pièce rappelle-t-il le chanteur qui, après quelques signes
de malaise avant-coureurs, s'écroulait au milieu du troisième acte d'Orphée et Eurydice[4]. Du roman au
théâtre, plusieurs rôles secondaires se simplifient. Si le
juge Casado (« Priez Dieu qu'il pardonne vos péchés »)
et le Curé (« Voici que la punition arrive ») se mettent à
l'unisson pour reprendre les imprécations du père Paneloux, celui-ci bénéficiait, grâce à la durée du roman,
d'une complexité dont sont dépourvues les figures de la

---

1. *Carnets, II*, p. 250.
2. Voir l'Avertissement de la pièce et Préface à l'édition américaine du
théâtre, éd. citée, p. 1732.
3. *Théâtre, récits, nouvelles*, p. 1357.
4. *Ibid.*, p. 1382.

*pièce. Plutôt qu'à un durcissement de la position de Camus vis-à-vis de l'Église, on attribuera cette différence aux exigences de la scène. Le Batelier, vénal et disposé à éloigner Diego du fléau, résume le rôle des passeurs qui se proposaient pour rapatrier Rambert. En revanche, le démon du mal et le goût du sarcasme de Cottard et du vieil asthmatique sont développés et enrichis dans la figure symbolique de Nada, qui nourrit sa perversité de la nature profonde de son être plutôt que des circonstances. Quant aux protagonistes des deux œuvres, ils ne se ressemblent guère, même s'ils sont l'un et l'autre médecins. La tentation d'un bonheur égoïste que Rieux admet chez les autres sans être jamais sur le point d'y céder lui-même, anime Diego pendant le Prologue (« Je dois m'occuper d'être heureux ») avant qu'il ne la surmonte. Sorte de Rambert sublimé en Rieux (pour parler sommairement), Diego assure la dynamique de* L'État de siège. *Enfin, se présentant dès les premières pages comme une tragédie de la séparation[1],* La Peste *laissait, à l'exception de la discrète mère de Rieux, les femmes hors les murs, alors que la séparation des amants qui se profile à l'horizon de* L'État de siège *met en relief l'émouvante figure de Victoria, en lui infligeant une peur moins indigne que celle qu'inspire l'oppresseur à la majorité des citoyens.*

*« Notre XXᵉ siècle est le siècle de la peur », écrivait Camus dans* Combat *en novembre 1946[2]. La peur sert de fil directeur à la pièce. Diego, qui ne craint pas les*

---

1. Même si c'est en cours d'élaboration du roman que Camus accentua cet aspect. Voir *Carnets, II*, p. 80.
2. « Ni victimes ni bourreaux », *Actuelles I*, dans *Essais*, Pléiade, p. 331.

hommes, avoue dans la première partie sa peur devant un fléau qui le dépasse. Ce sentiment, exprimé par le Chœur au cours de la deuxième partie («Nous avons peur!»), est justifié par le juge: «Tout le monde a peur parce que personne n'est pur.» Il devient une insulte réciproque dans un moment de tension entre Diego et Victoria, chacun des deux amants se lançant au visage la peur de l'autre («Tu as peur!» — «Je déteste ce visage de peur et de haine qui t'est venu!»). Il revient pourtant à la femme de formuler que l'amour est plus fort que la peur et d'engager son partenaire à suivre son exemple. Moins entier que Victoria, mais fortifié par son amour, Diego peut alors jeter à la face de la Mort cette «folie claire, mêlée de peur et de courage», qui, composant la condition humaine, lui permet d'affronter le néant. Au terme de la deuxième partie, la Mort, donnant acte à Diego de sa victoire sur la peur, s'avoue désormais impuissante contre lui. Mais l'important est moins de se sauver soi-même que de sauver les autres. Ainsi la troisième partie change-t-elle Diego, héros solitaire, en héros solidaire. «N'ayons plus peur», commande-t-il au Chœur, avant de clamer un «Vive la mort, elle ne nous fait pas peur!» qui engage cette fois la cité entière. Reste à trouver un bon usage de ce courage, qui ne doit servir ni à retourner contre l'oppresseur les armes dont il s'est servi (le «Ni peur ni haine» de Diego faisant écho au «Ni victimes ni bourreaux» de Camus), ni à mépriser du haut de son héroïsme les hommes à qui il arrive de faillir («C'est à mi-hauteur que je tiens à eux»).

L'itinéraire de Diego et de Victoria dessine du reste moins une ascension continue vers l'héroïsme qu'une ligne brisée où se lisent les faiblesses humaines. Si une passion qu'on dira toute féminine a donné à Victoria

*un pouvoir d'entraînement, cette même passion, char-
nellement attachée à Diego, lui inspire une ultime tentative pour retenir son amant sur cette terre; ainsi Vanina
Vanini se révélait-elle, de manière plus définitive, infé-
rieure par l'excès même de son amour à son amant Missi-
rilli dont elle contrariait l'héroïsme*[1]. *La Peste et sa
Secrétaire (la Mort) permettent de méditer d'une autre
façon sur la différence des sentiments selon les sexes
dans l'univers camusien. En dépit du nom qu'elle porte,
la Peste est en effet un homme (elle se nomme* L'HOMME
*avant que ne soit dévoilée sa nature). «Reconnaissez
votre vrai souverain et apprenez la peur», dit l'Homme
pour finir, alors que son adjointe, que ne soutient point
la haine, a reconnu la victoire de Diego. Le symbole est
clair: on s'accommode plus facilement de la mort que de
la puissance du Mal qui inspire les bourreaux. Il s'enri-
chit de ce choix de Camus qui, considérant comme arbitraire le genre des noms, réserve la féminité à l'élément le
moins inhumain du couple.*

*La portée symbolique générale du fléau n'est pas
moins claire. Dans* La Peste, *le choix d'Oran, ville
française préservée de l'occupation allemande, pouvait
élargir, voire brouiller la signification de la fable; celui
de Cadix, dans* L'État de siège, *ne trompera personne.
En se défendant contre Gabriel Marcel de témoigner plus
d'indulgence pour les totalitarismes de l'Est que pour la
dictature franquiste*[2], *Camus avalise la transparence*

---

1. Camus, qui a noté son intérêt pour les «femmes à grand caractère»
dans l'univers de Stendhal (*Carnets, II*, p. 23), envisage vers l'époque où est
représenté *L'État de siège* d'écrire une préface aux *Chroniques italiennes*
(voir *Carnets, II*, p. 263).
2. Voir *infra*, p. 207.

*du symbole. Du moment que la neutralité observée par l'Espagne pendant la guerre ne suffit pas, à ses yeux, pour qu'on la tienne quitte des crimes commis par les nazis, le symbole ne perdra guère de sa cohérence à l'évocation de la « collaboration active » (expression sur laquelle se clôt la première partie), de l'« étoile noire » qui marque les maisons infectées, de l'« étoile du bubon » qui désigne les malades, des fours allumés et des cadavres incinérés par souci d'hygiène, de la volonté de l'Homme d'être « correct » (adjectif qui, aux premiers temps de l'Occupation, servit aux Français pour désigner les soldats allemands, moins ouvertement barbares qu'on ne l'avait craint). Enfin, la Secrétaire évoque les « souris grises », auxiliaires féminines des armées allemandes d'occupation[1]. On a le droit de juger un peu insistante pareille accumulation d'indices.*

*Moins spécifiques de l'occupation nazie sont les camps de concentration et les déportations, les tours de surveillance, l'usage de la torture, les actes de résistance ou l'appel à la délation, voire la perfection technique dont s'accompagne l'oppression : L'Homme révolté, publié trois ans plus tard, convaincra sans doute Gabriel Marcel que la « terreur rationnelle » (expression figurant dans un des titres de l'essai) n'apparaît pas moins insupportable à Camus quand elle s'exerce au nom de la révolution prolétarienne. D'une bouffonnerie qui provoque, à la scène, des effets proches de ceux d'Ubu roi, la destruction savante et méthodique des êtres humains répond en fait à des craintes proches de celles de George Orwell, acteur et témoin de la guerre d'Espagne, que Camus cite en 1947 dans ses* Carnets *et*

---

1. Signalé par Ilona Coombs, *Camus, homme de théâtre*, p. 100.

*dont le roman* 1984 *paraîtra un an après la création de* L'État de siège. *Propres à toutes les dictatures sont enfin l'art de tirer profit du nihilisme (rien de commun entre le « Vive rien ! » de Nada et le « Vive la mort ! » de Diego, le « Viva la muerte » des anarchistes espagnols s'apparentant plutôt au premier), ainsi que la noire volonté de culpabiliser les victimes. Cette volonté formulée par le héros de* Caligula *y était inspirée par Hitler, non par Staline. À l'époque de* L'État de siège, Camus *vise équitablement les dictateurs des deux camps. Ensuite, les totalitarismes de l'Est menaçant plus que ceux de l'Ouest l'avenir de l'humanité et inventant l'autocritique pour parfaire leurs entreprises de culpabilisation, la dénonciation camusienne aura davantage de quoi plaire aux amis de Gabriel Marcel : à l'époque de* La Chute (1956), *Franco et Salazar ont encore de beaux jours devant eux, mais c'est avec les amis de Sartre que Camus est désormais brouillé.*

*Nous suggérons ainsi que les étoiles et les miradors ne devraient pas dater trop rigoureusement le « spectacle ». Restreindre les symboles à l'actualité récente augmente un peu fâcheusement leur transparence. Mais, même s'ils s'appliquent aux dictateurs en général, leur pertinence laisse perplexe. S'il est ignoble de dénoncer un résistant et de le faire enfermer dans un camp, l'est-il de signaler aux autorités un pestiféré afin qu'il soit isolé du reste de la population ? Les perfectionnements techniques prennent même un sens opposé suivant les cas : ils permettent au dictateur de* L'État de siège *d'étendre sa sinistre besogne, alors que dans le roman ils aidaient l'Assistance publique à circonscrire le mal.* La Peste *fait tort à la pièce : en expliquant les précautions douloureuses que dicte une épidémie, Camus a incité les specta-*

*teurs de* L'État de siège *à résister à l'amalgame suggéré
entre un mal organisé par les hommes et un mal dû au
hasard ou (pour parler comme Paneloux) à la volonté
du Ciel. Quant à la leçon finale de* L'État de siège, *la
victoire du courage sur le mal, elle expose à deux types
d'observations. 1) Si on s'en tient à la réalité politique
contenue dans la fable (ou dans le « mythe », comme dit
Camus dans l'Avertissement), on soupçonnera l'auteur
d'angélisme ; reproche injuste s'il vise sa personne
(Camus sait que la Résistance n'a pas obtenu des succès
en prêchant le stoïcisme, mais en agressant l'ennemi tout
en évitant de recourir aux mêmes armes que lui), mais
justifié si on s'attache à la lettre de la pièce. 2) Si on veut
que la peste soit, comme il convient à un symbole, à la
fois la maladie et l'Occupation, le courage, vertu déjà
insuffisante pour mener une lutte armée, apparaîtra
comme un moyen dérisoire pour faire reculer une épidémie
mortelle. Sauf à croire à la méthode Coué, il enseigne plutôt, comme chez Vigny, à mourir en silence.*

*L'incertitude du spectateur ou du lecteur vient de ce
que René-Marill Albérès a appelé les « ambiguïtés de la
révolte*[1] *» chez Camus. Celui-ci se révolte d'une part
contre des erreurs imputables à l'homme (maintien de la
peine de mort, usage de la torture) ; d'autre part, au
plan métaphysique, contre le mal, la souffrance ou la
mort. La première révolte guide une pratique qu'on dira,
au sens large, politique. Ainsi, à défaut de supprimer de
la planète l'instinct de torture, faisons en sorte que le
moins de gens possible soient torturés. On expliquerait
de la même manière le sens camusien, parfois mal com-*

---

1. Titre d'un commentaire de *L'Homme révolté* paru dans *La Revue de Paris*, juin 1953 (voir notamment p. 57-58).

*pris, de la mesure (« Non, il n'y a pas de justice, mais il y a des limites », dit à la fin le Chœur, condamnant par cette formule à la fois la dictature et l'anarchisme nihiliste). Il se trouve que la révolte métaphysique ne provoque pas une conduite radicalement différente de la première. Dans* La Peste, *le docteur Rieux travaille, en vrai praticien, à la réduction des effets d'un mal dont l'humanité n'est pourtant pas responsable ; la souffrance et la mort de l'enfant du juge dévoileront du reste la dimension métaphysique de sa révolte. Mais celle du héros de* L'État de siège *est ambiguë* dans son principe même, *c'est-à-dire qu'elle ressortit aux deux ordres distingués par René-Marill Albérès. Diego lutte en effet contre des crimes humains à peine dissimulés sous l'allégorie d'un fléau fatal. S'il dépouille si vite le masque des médecins de la peste, c'est parce que, justement, ce n'est qu'un masque ; mais, mué en rédempteur et armé principalement de son verbe, il oppose au dictateur son panache plutôt que son efficacité pratique. Le spectateur, docile aux formes de l'allégorie, persiste-t-il à voir moins les symboles politiques que les traits de la Peste ? Il peut alors regretter que les compétences médicales de Diego aient été oubliées au point de ne jouer aucun rôle dans l'intrigue.*

*Ces ambiguïtés posent la question de la dimension tragique de la pièce. Camus a lui-même rangé* Le Malentendu, L'État de siège, Les Justes *parmi ses « tentatives, dans des voies chaque fois différentes et des styles dissemblables, pour approcher de cette tragédie moderne[1] » à laquelle il a, dit-il, beaucoup réfléchi. On*

---

1. Interview donnée à *Paris-Théâtre* (1958), dans *Théâtre, récits, nouvelles*, p. 1715.

*ne voit pourtant pas que* L'État de siège *soit une tra-*
*gédie si on se réfère à une distinction qu'il posait trois*
*ans plus tôt :* « *La tragédie diffère du drame ou du mélo-*
*drame. Voici quelle me paraît être la différence : les forces*
*qui s'affrontent dans la tragédie sont également légi-*
*times, également armées en raison. Dans le mélodrame*
*ou le drame, au contraire, l'une seulement est légitime.*
*Autrement dit, la tragédie est ambiguë, le drame sim-*
*pliste*[1]. » *Quoi de moins légitime et, malgré la terrifiante*
*rationalité qui meut sa machine, de moins armé en rai-*
*son que le totalitarisme ? Avant de poser cette distinc-*
*tion, Camus a brossé un bref historique de l'Antiquité à*
*nos jours pour montrer comment les rares grandes*
*époques de la tragédie (d'Eschyle à Euripide, de Shakes-*
*peare à Corneille) correspondent à ces moments où l'in-*
*dividu se dresse contre des* « *formes de pensée cosmiques,*
*toutes imprégnées par la notion du divin et du sacré* »,
« *monde ancien de la terreur et de la dévotion*[2] ». *À sup-*
*poser (ce qu'on soutiendrait aisément) que les totalita-*
*rismes du* xxe *siècle aient usurpé en les révisant à leur*
*profit les notions de divin et de sacré, le spectateur*
*de* L'État de siège *a lieu de craindre que, comme en*
*avertit sinistrement la Peste avant de se retirer, l'ordre*
*contre lequel Diego obtient, au bénéfice de sa cité, une*
*victoire provisoire, ne soit pas celui d'un* « *monde*
*ancien* », *mais de l'avenir.*

*On peut alors se dire que Camus a plutôt composé,*
*comme il le suggère lui-même*[3], *une sorte d'*auto sacra-

1. Conférence prononcée à Athènes sur l'avenir de la tragédie, *ibid.*,
p. 1705.
2. *Ibid.*, p. 1702-1703.
3. Préface à l'édition américaine du théâtre, *ibid.*, p. 1732.

mental[1], *à la manière par exemple de ceux de Lope de Vega (dont il adaptera en 1957* Le Chevalier d'Olmedo), *où il aurait tendu à « embrasser le monde entier comme un spectacle universel[2] ». Sa conférence d'Athènes situe les* autos sacramentales *par rapport à la tragédie : « Si l'ordre divin ne suppose aucune contestation et n'admet que la faute et le repentir, il n'y a pas tragédie. Il peut seulement y avoir mystère ou parabole, ou encore ce que les Espagnols appelaient acte de foi ou acte sacramentel, c'est-à-dire un spectacle où la vérité unique est solennellement proclamée. Le drame religieux est donc possible, mais non la tragédie religieuse[3]. » Si, avec la critique unanime[4], on accepte d'apparenter* L'État de siège *aux* autos sacramentales, *on conviendra du moins que la « vérité unique » y est discréditée, voire ridiculisée, et contestée par la révolte du héros. En somme, comme avec* Caligula *et* Le Malentendu, *Camus écrit ici non une tragédie, mais une pièce où perce une forme de tragique, l'originalité de* L'État de siège *tenant à la forte réalité d'une collectivité unie par une crainte commune, animée par des scènes de rue et élargie, par l'apparition d'une comète ou la présence du vent et de la mer, aux dimensions du cos-*

---

1. « Œuvre dramatique allégorique en un acte, ayant pour thème le mystère de l'Eucharistie, représentée en Espagne dans le cadre de la Fête-Dieu (xvie-xviie siècle). Genre didactique, indissociable de son contexte culturel et festif, l'*auto sacramental* constitue un parfait exemple de l'insertion harmonieuse du théâtre dans une vie sociale et culturelle imprégnée de religion » (M. Corvin, *Dictionnaire encyclopédique du théâtre*, Bordas, 1991).

2. Raymond Gay-Crosier, *Les Envers d'un échec. Étude sur le théâtre d'Albert Camus*, p. 156.

3. *Théâtre, récits, nouvelles*, p. 1706.

4. Voir, pour nous en tenir aux ouvrages cités dans notre bibliographie et outre celui de Raymond Gay-Crosier, ceux d'Ilona Coombs, Edward Freeman, Roger Grenier, ainsi que la Présentation de la pièce par Roger Quilliot dans la Pléiade.

mos, alors que Caligula *offrait surtout, dans une Rome
volontairement abstraite, une galerie de fantoches et que
l'action du* Malentendu *était confinée dans une
auberge où les rivages ensoleillés se réduisaient à un
improbable espoir.* L'État de siège *apparaît donc
comme un nouvel échec sur le chemin des tentatives de
Camus de fonder une «tragédie moderne», ce qui n'im-
plique nullement que la pièce soit en elle-même un
échec.*

La sévérité quasi unanime de la critique peina pro-
fondément Camus, même si, dans sa lettre à Jean Grenier du 15 janvier 1949, il fait contre mauvaise fortune
bon cœur en se félicitant d'avoir ainsi moins de rendez-
vous à honorer. L'État de siège, *confie-t-il ailleurs,
«avec tous ses défauts, est peut-être celui de mes écrits
qui me ressemble le plus[1]», sans qu'on discerne bien si
cette faveur vient de la gravité et de l'actualité des pro-
blèmes qu'il y traite ou, au contraire, de l'effort qu'il y a
consenti pour échapper par la magie d'un spectacle allégorique à ces querelles d'intellectuels parisiens auxquelles il se trouva, durant toute sa carrière littéraire,
mêlé à contrecœur, et pour faire résonner la scène d'accents lyriques venus tout droit de* Noces *et de* L'Été. *Le
vent qui, à Djémila, traçait sur sa peau «les signes de
sa tendresse ou de sa colère, la réchauffant de son souffle
d'été ou la mordant de ses dents de givre[2]», balaye toute
la pièce, brûlant d'abord Diego avant de s'amplifier jusqu'à «récurer» finalement la ville et aider Nada à se
suicider dans les flots. L'appel «À la mer!» lancé par le*

---

1. Préface à l'édition américaine du théâtre, éd. citée, p. 1732.
2. *Noces*, dans *Essais*, Pléiade, p. 62.

*Chœur fait écho au début de «Noces à Tipasa». Les «premiers amandiers en fleurs sur la route, devant la mer», souvenir noté dans les* Carnets[1] *et célébré dans* L'Été, *sont chantés dans la pièce par le chœur des femmes. «Bien pauvres sont ceux qui ont besoin de mythes», écrivait pourtant Camus au début de* Noces[2]. *À l'époque où il compose* L'État de siège, *le temps de l'innocence est passé et peut-être ces paysages qu'il a exaltés sans arrière-pensée avant la guerre souffrent-ils de servir une démonstration élaborée contre ceux qui les nient.*

*Au demeurant, on défendrait incomplètement une œuvre théâtrale si on se contentait d'en célébrer les accents lyriques : sauf peut-être chez Claudel, modèle unique, le lyrisme peut embellir une pièce, non lui donner forme. Sans l'égaler aux chefs-d'œuvre de Claudel, Michel Autrand a montré, dans un plaidoyer fortement argumenté en faveur de* L'État de siège, *comment Camus avait réalisé à la scène « ce rêve toujours recommencé de la mise en spectacle de la Ville et du personnage collectif[3] ». Il le réalise au mieux, à notre sens, dans ces humbles scènes de la vie quotidienne (apostrophes des passants, cris des marchands) qui, plus qu'à Aristophane, font songer à Shakespeare (au début de* Roméo et Juliette, *par exemple), mais avec moins de bonheur dans les moments où le Chœur se guinde en accents eschyléens. Peut-être le pari formulé par Camus dans son Avertissement («mêler toutes les formes d'expression dramatique depuis le monologue lyrique jus-*

1. *Carnets, I*, p. 196-197.
2. *Essais*, p. 57.
3. Michel Autrand, «*L'État de siège* ou le rêve de la Ville au théâtre», voir la Bibliographie, p. 216.

*qu'au théâtre collectif »*) était-il impossible à tenir. *On ne facilite pas la tâche d'un metteur en scène en lui donnant, dès le lever du rideau, un dialogue qui doit être « à peu près incompréhensible, comme un marmonnement »*, ou en prêtant *à la Femme et à Nada, au cœur de la deuxième partie, deux longues répliques destinées à être prononcées « ensemble*[1] ». *On croirait parfois qu'anticipant sur le travail du compositeur de la musique d'accompagnement, Camus entend composer lui-même une partition où les paroles seraient moins porteuses d'un contenu que des éléments sonores du « spectacle ». Voudrait-il empiéter aussi sur les prérogatives du décorateur ? On aime cette trouvaille qui, au début de la troisième partie, offre à Diego le pouvoir de modeler l'environnement à sa guise, d'effacer les étoiles, d'ouvrir les fenêtres, de mouvoir les masses. L'espace n'est plus alors un simple décor : il donne la mesure de l'immense volonté du héros. Mais, ainsi associé à sa geste, n'apparaîtra-t-il pas dérisoire ou anecdotique du moment qu'il est, comme l'exige une représentation, matérialisé ?* Michel Autrand fait écho aux réflexions de Jean-Louis Barrault soupçonnant le beau décor de Balthus d'avoir résisté de toute sa masse aux mouvements qui l'entouraient, ainsi qu'au souhait de Camus : « *J'aimerais voir* L'État de siège *en plein air*[2] ». *S'il accuse moins les décors de la scène que « les ors et velours du Marigny », Morvan Lebesque appelle aussi de ses vœux une représentation de plein air. « Mais (ajoute-t-il) ce ne sera jamais qu'un beau spec-*

---

1. On se demandera aussi comment un metteur en scène peut faire que vers la fin de la pièce, la Secrétaire « change brusquement d'apparence », devenant « une vieille femme au masque de mort », comme le veut une indication scénique.

2. Interview donnée à *Paris-Théâtre* (1958), éd. citée, p. 1717.

*tacle, et non la tragédie populaire de la liberté dont rêvait l'auteur[1]. »* Nous concevons que le plein air se prête plus favorablement qu'une salle à l'infinitude de la volonté de Diego. Mais il n'est pas sûr qu'en ouvrant l'espace vers un ciel réel où les spectateurs guetteront en vain l'apparition d'une comète, en exposant la scène à une possible concurrence entre le vent symbolique et un violent mistral, ou en désignant à l'horizon une mer hypothétique suivant l'endroit où la pièce sera jouée, on serve au mieux ses symboles.

« *Si l'on songe [...] au dispositif scénique, à la musique, aux constants mouvements de foule, on comprendra que le spectaculaire a tenté de se substituer au non-dit, à la voix étouffée du "mystérieux", à la béance laissée par la disparition du mythe* », écrit Fernande Bartfeld[2]. Encore que la signification de L'État de siège *dépasse de beaucoup la conjoncture de l'occupation de la France par les nazis, on ne pouvait espérer du public au fil des années, même si d'autres formes d'oppression politique demeuraient vivaces, une ferveur plus grande que celle qui s'était déjà assoupie quatre ans après la Libération. Le « spectacle » n'a donc chance de nous toucher qu'à condition d'éveiller en nous une sensibilité aux accents lyriques de l'amour, à la solitude de l'homme devant son destin, à l'émouvante communion des membres d'une cité dont les craintes et les espérances s'ouvrent, au-delà des murs, à la nature et aux éléments. Mais, pour avoir suggéré ailleurs que Camus n'avait nulle part mieux que dans* La Chute *figuré*

---

1. « La passion pour la scène », dans *Albert Camus*, « Génies et Réalités », p. 170.
2. « Le théâtre de Camus, lieu d'une écriture contrariée », dans *Albert Camus et le théâtre*, p. 181.

*l'enfermement, parce que le monologue de Clamence des-
sine dans l'esprit du lecteur des réseaux concentriques
plus étroitement accordés à son obsession que ne l'eût
fait aux yeux de spectateurs un décor de théâtre, nous
croyons en corollaire que le « spectaculaire » de L'État
de siège gagne à ne pas s'épuiser en effets de mise en
scène qui n'atteindraient en aucun cas au cosmique,
mais à miser sur l'imagination des lecteurs. Il a chance
ainsi de ne pas se substituer au non-dit qui résulte de
l'épuisement du mythe, mais de lui offrir au contraire
ses meilleures facultés d'expression. Aux spectacles
impossibles qui jalonnent l'histoire de notre théâtre, il
reste la consolation, non négligeable, de la littérature.*

Pierre-Louis Rey

# L'État de siège

SPECTACLE EN TROIS PARTIES

*à Jean-Louis Barrault*

# AVERTISSEMENT

*En 1941, Barrault eut l'idée de monter un spectacle autour du mythe de la peste, qui avait tenté aussi Antonin Artaud. Dans les années qui suivirent, il lui parut plus simple d'adapter à cet effet le grand livre de Daniel Defoe,* Le Journal de l'année de la peste. *Il fit alors le canevas d'une mise en scène.*

*Lorsqu'il apprit que, de mon côté, j'allais publier un roman sur le même thème, il m'offrit d'écrire des dialogues autour de ce canevas. J'avais d'autres idées et, en particulier, il me paraissait préférable d'oublier Daniel Defoe et de revenir à la première conception de Barrault.*

*Il s'agissait, en somme, d'imaginer un mythe qui puisse être intelligible pour tous les spectateurs de 1948.* L'État de siège *est l'illustration de cette tentative, dont j'ai la faiblesse de croire qu'elle mérite qu'on s'y intéresse.*

*Mais :*

*1° Il doit être clair que* l'État de siège, *quoi qu'on en ait dit, n'est à aucun degré une adaptation de mon roman.*

*2° Il ne s'agit pas d'une pièce de structure traditionnelle, mais d'un spectacle dont l'ambition avouée est de mêler toutes les formes d'expression dramatique depuis le* monologue lyrique jusqu'au théâtre collectif, en passant par le jeu muet, le simple dialogue, la farce et le chœur.

3° S'il est vrai que j'ai écrit tout le texte, il reste que le nom de Barrault devrait, en toute justice, être réuni au mien. Cela n'a pu se faire, pour des raisons qui m'ont paru respectables. Mais il me revient de dire clairement que je reste le débiteur de Jean-Louis Barrault.

20 novembre 1948.

A. C.

## DISTRIBUTION

| | |
|---|---|
| LA PESTE | *Pierre Bertin.* |
| LA SECRÉTAIRE | *Madeleine Renaud.* |
| NADA | *Pierre Brasseur.* |
| VICTORIA | *Maria Casarès.* |
| LE JUGE | *Albert Medina.* |
| LA FEMME DU JUGE | *Marie-Hélène Dasté.* |
| DIEGO | *Jean-Louis Barrault.* |
| LE GOUVERNEUR | *Charles Mahieu.* |
| L'ALCADE | *Régis Outin.* |

LES FEMMES DE LA CITÉ
*Éléonore Hirt.*
*Simone Valère.*
*Ginette Desailly.*
*Christiane Clouzet.*
*Janine Wansar.*

LES HOMMES DE LA CITÉ
*Jean Desailly.*
*Jacques Berthier.*
*Beauchamp.*
*Gabriel Cattand.*
*Jean-Pierre Granval.*
*Bernard Dhéran.*
*Jean Juillard.*

LES GARDES
*Roland Malcome.*
*William Sabatier.*
*Pierre Sonnier.*
*Jacques Galland.*

LE CONVOYEUR DES MORTS
*Marcel Marceau.*

L'ÉTAT DE SIÈGE

*a été représenté pour la première fois, le 27 octobre 1948, par la «Compagnie Madeleine Renaud-Jean-Louis Barrault», au Théâtre Marigny (direction Simonne Volterra).*

Musique de scène d'Arthur Honegger.
Décor et costumes de Balthus.
Mise en scène de Jean-Louis Barrault.

# PREMIÈRE PARTIE

# PROLOGUE

*Ouverture musicale autour d'un thème sonore rappelant la sirène d'alerte.*

*Le rideau se lève. La scène est complètement obscure.*

*L'ouverture s'achève, mais le thème de l'alerte demeure, comme un bourdonnement lointain.*

*Soudain, au fond, surgissant du côté cour, une comète se déplace lentement vers le côté jardin.*

*Elle éclaire, en ombres chinoises, les murs d'une ville fortifiée espagnole et la silhouette de plusieurs personnages qui tournent le dos au public, immobiles, la tête tendue vers la comète. Quatre heures sonnent. Le dialogue est à peu près incompréhensible, comme un marmonnement.*

— La fin du monde !
— Non, homme[1] !
— Si le monde meurt…
— Non, homme. Le monde, mais pas l'Espagne !
— Même l'Espagne peut mourir.
— À genoux !
— C'est la comète du mal !
— Pas l'Espagne, homme, pas l'Espagne !

*Deux ou trois têtes se tournent. Un ou deux personnages se déplacent avec précaution, puis tout redevient immobile. Le bourdonnement se fait alors plus intense, devient strident et se développe musicalement comme une parole intelligible et menaçante. En même temps, la comète grandit démesurément. Brusquement, un cri terrible de femme qui, d'un coup, fait taire la musique et réduit la comète à sa taille normale. La femme s'enfuit en haletant. Remue-ménage sur la place. Le dialogue, plus sifflant et qu'on perçoit mieux, n'est cependant pas encore compréhensible.*

— C'est signe de guerre !
— C'est sûr !
— C'est signe de rien.
— C'est selon.
— Assez. C'est la chaleur.
— La chaleur de Cadix.
— Suffit.
— Elle siffle trop fort.
— Elle assourdit surtout.
— C'est un sort sur la cité !
— Aïe ! Cadix ! Un sort sur toi !
— Silence ! Silence !

*Ils fixent de nouveau la comète, lorsqu'on entend, distinctement cette fois, la voix d'un officier des gardes civils.*

### L'OFFICIER DES GARDES CIVILS

Rentrez chez vous ! Vous avez vu ce que vous avez vu, c'est suffisant. Du bruit pour rien, voilà tout. Beaucoup de bruit et rien au bout. À la fin, Cadix est toujours Cadix.

### UNE VOIX

C'est un signe pourtant. Il n'y a pas de signes pour rien.

### UNE VOIX

Oh ! le grand et terrible Dieu !

### UNE VOIX

Bientôt la guerre, voilà le signe !

### UNE VOIX

À notre époque, on ne croit plus aux signes, galeux ! On est trop intelligent, heureusement.

### UNE VOIX

Oui, et c'est ainsi qu'on se fait casser la tête. Bête comme cochon, voilà ce qu'on est. Et les cochons, on les saigne !

### L'OFFICIER

Rentrez chez vous ! La guerre est notre affaire, non la vôtre.

### NADA[1]

Aïe ! Si tu disais vrai ! Mais non, les officiers meurent dans leur lit et l'estocade, elle est pour nous !

UNE VOIX

Nada, voilà Nada. Voilà l'idiot !

UNE VOIX

Nada, tu dois savoir. Qu'est-ce que cela signifie ?

NADA *(il est infirme.)*

Ce que j'ai à dire, vous n'aimez pas l'entendre.
Vous en riez. Demandez à l'étudiant, il sera bientôt docteur. Moi, je parle à ma bouteille.

> *Il porte une bouteille à sa bouche.*

UNE VOIX

Diego, qu'est-ce qu'il veut dire ?

DIEGO

Que vous importe ? Gardez votre cœur ferme et
ce sera assez.

UNE VOIX

Demandez à l'officier des gardes civils.

L'OFFICIER

La garde civile pense que vous troublez l'ordre
public.

NADA

La garde civile a de la chance. Elle a des idées
simples.

DIEGO

Regardez, ça recommence…

UNE VOIX

Ah ! le grand et terrible Dieu.

> *Le bourdonnement recommence. Deuxième passage de la comète.*

— Assez !
— Suffit !
— Cadix !
— Elle siffle !
— C'est un sort…
— Sur la cité…
— Silence ! Silence !

> *Cinq heures sonnent. La comète disparaît. Le jour se lève.*

NADA, *perché sur une borne et ricanant.*

Et voilà ! Moi, Nada, lumière de cette ville par l'instruction et les connaissances, ivrogne par dédain de toutes choses et par dégoût des honneurs, raillé des hommes parce que j'ai gardé la liberté du mépris, je tiens à vous donner, après ce feu d'artifice, un avertissement gratuit. Je vous informe donc que nous y sommes et que, de plus en plus, nous allons y être.

Remarquez bien que nous y étions déjà. Mais il fallait un ivrogne pour s'en rendre compte. Où sommes-nous donc ? C'est à vous, hommes de raison, de le deviner. Moi, mon opinion est faite depuis toujours et je suis ferme sur mes principes : la vie vaut la mort ; l'homme est du bois dont on fait les bûchers. Croyez-moi vous allez avoir des ennuis. Cette comète-là est mauvais signe. Elle vous alerte !

Cela vous paraît invraisemblable ? Je m'y attendais. Du moment que vous avez fait vos trois repas, travaillé vos huit heures et entretenu vos deux femmes, vous imaginez que tout est dans l'ordre. Non, vous n'êtes pas dans l'ordre, vous êtes dans le rang. Bien alignés, la mine placide, vous voilà mûrs pour la calamité. Allons, braves gens, l'avertissement est donné, je suis en règle avec ma conscience. Pour le reste, ne vous en faites pas, on s'occupe de vous là-haut. Et vous savez ce que ça donne : ils ne sont pas commodes !

### LE JUGE CASADO

Ne blasphème pas, Nada. Voilà déjà longtemps que tu prends des libertés coupables avec le ciel.

### NADA

Ai-je parlé du ciel, juge ? J'approuve ce qu'il fait de toutes façons. Je suis juge à ma manière. J'ai lu dans les livres qu'il vaut mieux être le complice du ciel que sa victime. J'ai l'impression d'ailleurs que le ciel n'est pas en cause. Pour peu que les hommes se mêlent de casser les vitres et les têtes, vous vous apercevrez que le bon Dieu, qui connaît pourtant la musique, n'est qu'un enfant de chœur.

LE JUGE CASADO

Ce sont les libertins de ta sorte qui nous attirent les alertes célestes. Car c'est une alerte en effet. Mais elle est donnée à tous ceux dont le cœur est corrompu. Craignez tous que des effets plus terribles ne s'ensuivent et priez Dieu qu'il pardonne vos péchés. À genoux donc ! À genoux, vous dis-je !

*Tous se mettent à genoux, sauf Nada.*

LE JUGE CASADO

Crains, Nada, crains et agenouille-toi.

NADA

Je ne le puis, ayant le genou raide. Quant à craindre, j'ai tout prévu, même le pire, je veux dire ta morale.

LE JUGE CASADO

Tu ne crois donc à rien, malheureux ?

NADA

À rien de ce monde, sinon au vin. Et à rien du ciel.

LE JUGE CASADO

Pardonnez-lui, mon Dieu, puisqu'il ne sait ce qu'il dit et épargnez cette cité de vos enfants.

NADA

*Ite missa est.* Diego, offre-moi une bouteille à l'enseigne de la Comète. Et tu me diras où en sont tes amours.

DIEGO

Je vais épouser la fille du juge, Nada. Et je voudrais que désormais tu n'offenses plus son père. C'est m'offenser aussi.

*Trompettes. Un héraut entouré de gardes.*

LE HÉRAUT

Ordre du gouverneur. Que chacun se retire et reprenne ses tâches. Les bons gouvernements sont les gouvernements où rien ne se passe. Or telle est la volonté du gouverneur qu'il ne se passe rien en son gouvernement, afin qu'il demeure aussi bon qu'il l'a toujours été. Il est donc affirmé aux habitants de Cadix que rien ne s'est passé en ce jour qui vaille la peine qu'on s'alarme ou se dérange. C'est pourquoi chacun, à partir de cette sixième heure, devra tenir pour faux qu'aucune comète se soit jamais montrée à l'horizon de la cité. Tout contrevenant à cette décision, tout habitant qui parlera de comètes autrement que comme de phénomènes sidéraux passés ou à venir sera donc puni avec la rigueur de la loi.

*Trompettes. Il se retire.*

NADA

Eh bien ! Diego, qu'en dis-tu ? C'est une trouvaille !

DIEGO

C'est une sottise ! Mentir est toujours une sottise.

NADA

Non, c'est une politique. Et que j'approuve puisqu'elle vise à tout supprimer. Ah! le bon gouverneur que nous avons là! Si son budget est en
déficit, si son ménage est adultère, il annule le déficit et il nie l'accouplement. Cocus, votre femme est
fidèle, paralytiques, vous pouvez marcher, et vous,
aveugles, regardez : c'est l'heure de la vérité !

DIEGO

N'annonce pas de malheur, vieille chouette!
L'heure de la vérité, c'est l'heure de la mise à mort !

NADA

Justement. À mort le monde ! Ah, si je pouvais
l'avoir tout entier devant moi, comme un taureau
qui tremble de toutes ses pattes, avec ses petits
yeux brûlants de haine et son mufle rose où la
bave met une dentelle sale ! Aïe ! Quelle minute.
Cette vieille main n'hésiterait pas et le cordon de
la moelle serait tranché d'un coup et la lourde
bête foudroyée tomberait jusqu'à la fin des temps
à travers d'interminables espaces !

DIEGO

Tu méprises trop de choses, Nada. Économise
ton mépris, tu en auras besoin.

NADA

Je n'ai besoin de rien. J'ai du mépris jusqu'à la
mort. Et rien de cette terre, ni roi, ni comète, ni
morale, ne seront jamais au-dessus de moi !

DIEGO

Du calme ! Ne monte pas si haut. On t'en aimerait moins.

NADA

Je suis au-dessus de toutes choses, ne désirant
plus rien.

DIEGO

Personne n'est au-dessus de l'honneur.

NADA

Qu'est-ce que l'honneur, fils ?

DIEGO

Ce qui me tient debout.

NADA

L'honneur est un phénomène sidéral passé ou
à venir. Supprimons.

DIEGO

Bien, Nada, mais il faut que je parte. Elle m'attend. C'est pourquoi je ne crois pas à la calamité
que tu annonces. Je dois m'occuper d'être heureux. C'est un long travail, qui demande la paix
des villes et des campagnes.

NADA

Je te l'ai déjà dit, fils, nous y sommes déjà. N'espère rien. La comédie va commencer. Et c'est à peine s'il me reste le temps de courir au marché pour boire enfin à la mise à mort universelle.

*Tout s'éteint.*

FIN DU PROLOGUE

*Lumière. Animation générale. Les gestes sont plus vils, le mouvement se précipite. Musique. Les boutiquiers tirent leurs volets, écartant les premiers plans du décor. La place du marché apparaît. Le chœur du peuple, conduit par les pêcheurs, la remplit peu à peu, exultant.*

LE CHŒUR

Il ne se passe rien, il ne se passera rien. À la fraîche, à la fraîche ! Ce n'est pas une calamité, c'est l'abondance de l'été ! (*Cri d'allégresse.*) À peine si le printemps s'achève et déjà l'orange dorée de l'été lancée à toute vitesse à travers le ciel se hisse au sommet de la saison et crève au-dessus de l'Espagne dans un ruissellement de miel, pendant que tous les fruits de tous les étés du monde, raisins gluants, melons couleur de beurre, figues pleines de sang, abricots en flammes, viennent dans le même moment rouler aux étals de nos marchés. (*Cri d'allégresse.*) Ô, fruits ! C'est ici qu'ils achèvent dans l'osier la longue course précipitée qui les amène des campagnes où ils ont commencé à s'alourdir d'eau et de sucre au-des-

sus des prés bleus de chaleur et parmi le jaillisse-
ment frais de mille sources ensoleillées peu à peu
réunies en une seule eau de jeunesse aspirée par
les racines et les troncs, conduite jusqu'au cœur
des fruits où elle finit par couler lentement
comme une inépuisable fontaine mielleuse qui
les engraisse et les rend de plus en plus pesants.

Lourds, de plus en plus lourds ! Et si lourds qu'à
la fin les fruits coulent au fond de l'eau du ciel,
commencent de rouler à travers l'herbe opulente,
s'embarquent aux rivières, cheminent le long de
toutes les routes et, des quatre coins de l'horizon,
salués par les rumeurs joyeuses du peuple et les
clairons de l'été (*brèves trompettes*) viennent en
foule aux cités humaines, témoigner que la terre
est douce et que le ciel nourricier reste fidèle au
rendez-vous de l'abondance. (*Cri général d'allégresse.*) Non, il ne se passe rien. Voici l'été,
offrande et non calamité. Plus tard l'hiver, le pain
dur est pour demain ! Aujourd'hui, dorades, sardines, langoustines, poisson, poisson frais venu
des mers calmes, fromage, fromage au romarin !
Le lait des chèvres mousse comme une lessive et,
sur les plateaux de marbre, la viande congestion-
née sous sa couronne de papier blanc, la viande à
odeur de luzerne, offre en même temps le sang, la
sève et le soleil à la rumination de l'homme. À
la coupe ! À la coupe ! Buvons à la coupe des saisons. Buvons jusqu'à l'oubli, il ne se passera rien !

> *Hourrahs. Cris de joie. Trompettes.*
> *Musique et aux quatre coins du marché de*
> *petites scènes se déroulent.*

LE PREMIER MENDIANT

La charité, homme, la charité, grand-mère !

LE DEUXIÈME MENDIANT

Mieux vaut la faire tôt que jamais !

LE TROISIÈME MENDIANT

Vous nous comprenez !

LE PREMIER MENDIANT

Il ne s'est rien passé, c'est entendu.

LE DEUXIÈME MENDIANT

Mais il se passera peut-être quelque chose.

*Il vole la montre du passant.*

LE TROISIÈME MENDIANT

Faites toujours la charité. Deux précautions valent mieux qu'une !

*À la pêcherie.*

LE PÊCHEUR

Une dorade fraîche comme un œillet ! La fleur des mers ! et vous venez vous plaindre !

LA VIEILLE

Ta dorade, c'est du chien de mer !

LE PÊCHEUR

Du chien de mer ! Jusqu'à ton arrivée, sorcière, le chien de mer n'était jamais entré dans cette boutique.

LA VIEILLE

Aïe, fils de ta mère ! Regarde mes cheveux blancs !

LE PÊCHEUR

Dehors, vieille comète !

> *Tout le monde s'immobilise, le doigt sur la bouche.*
> *À la fenêtre de Victoria. Victoria derrière les barreaux et Diego.*

DIEGO

Il y a si longtemps !

VICTORIA

Fou, nous nous sommes quittés à onze heures, ce matin !

DIEGO

Oui, mais il y avait ton père !

VICTORIA

Mon père a dit oui. Nous étions sûrs qu'il dirait non.

DIEGO

J'ai eu raison d'aller tout droit vers lui et de le regarder en face.

VICTORIA

Tu as eu raison. Pendant qu'il réfléchissait, je fermais les yeux, j'écoutais monter en moi un galop lointain qui se rapprochait, de plus en plus rapide et nombreux, jusqu'à me faire trembler tout entière. Et puis le père a dit oui. Alors j'ai ouvert les yeux. C'était le premier matin du monde. Dans un coin de la chambre où nous étions, j'ai vu les chevaux noirs de l'amour, encore couverts de frissons, mais désormais tranquilles. C'est nous qu'ils attendaient.

### DIEGO

Moi, je n'étais ni sourd ni aveugle. Mais je n'entendais que le piaffement doux de mon sang. Ma joie était soudain sans impatience. Ô cité de lumière, voici qu'on t'a remise à moi pour la vie, jusqu'à l'heure où la terre nous appellera. Demain, nous partirons ensemble et nous monterons la même selle.

### VICTORIA

Oui, parle notre langage même s'il paraît fou aux autres. Demain, tu embrasseras ma bouche. Je regarde la tienne et mes joues brûlent. Dis, est-ce le vent du Sud?

### DIEGO

C'est le vent du Sud et il me brûle aussi. Où est la fontaine qui m'en guérira?

> *Il approche et, passant ses bras à travers les barreaux, elle le serre aux épaules.*

VICTORIA

Ah ! J'ai mal de tant t'aimer ! Approche encore.

DIEGO

Que tu es belle !

VICTORIA

Que tu es fort !

DIEGO

Avec quoi laves-tu ce visage pour le rendre aussi blanc que l'amande ?

VICTORIA

Je le lave avec de l'eau claire, l'amour y ajoute sa grâce !

DIEGO

Tes cheveux sont frais comme la nuit !

VICTORIA

C'est que toutes les nuits je t'attends à ma fenêtre.

DIEGO

Est-ce l'eau claire et la nuit qui ont laissé sur toi l'odeur du citronnier ?

VICTORIA

Non, c'est le vent de ton amour qui m'a couverte de fleurs en un seul jour !

DIEGO

Les fleurs tomberont !

VICTORIA

Les fruits t'attendent !

DIEGO

L'hiver viendra !

VICTORIA

Mais avec toi. Te souviens-tu de ce que tu m'as chanté la première fois. N'est-ce pas toujours vrai ?

DIEGO

Cent ans après que serai mort
La terre me demanderait
Si je t'ai enfin oubliée
Que je répondrais pas encore !

*Elle se tait.*

DIEGO

Tu ne dis rien ?

VICTORIA

Le bonheur m'a prise à la gorge.

*Sous la tente de l'astrologue.*

L'ASTROLOGUE, *à une femme.*

Le soleil, ma belle, traverse le signe de la Balance au moment de ta naissance, ce qui autorise à te considérer comme Vénusienne, ton signe ascendant étant le Taureau, dont chacun sait qu'il est aussi gouverné par Vénus. Ta nature est donc émotive, affectueuse et agréable. Tu peux t'en réjouir, quoique le Taureau prédispose au célibat et risque de laisser sans emploi ces précieuses qualités. Je vois d'ailleurs une conjonction Vénus-Saturne qui est défavorable au mariage et aux enfants. Cette conjonction présage aussi des goûts bizarres et fait craindre les maux affectant le ventre. Ne t'y attarde point cependant et recherche le soleil qui renforcera le mental et la moralité, et qui est souverain quant aux flux du ventre. Choisis tes amis parmi les taureaux, petite, et n'oublie pas que ta position est bien orientée, facile et favorable, et qu'elle peut te garder en joie. C'est six francs.

*Il reçoit l'argent.*

### LA FEMME

Merci. Tu es sûr de ce que tu m'as dit, n'est-ce pas ?

### L'ASTROLOGUE

Toujours, petite, toujours ! Attention, cependant ! Il ne s'est rien passé, ce matin, bien entendu. Mais ce qui ne s'est point passé peut bouleverser mon horoscope. Je ne suis pas responsable de ce qui n'a pas eu lieu !

*Elle part.*

### L'ASTROLOGUE

Demandez votre horoscope ! Le passé, le présent, l'avenir garanti par les astres fixes ! J'ai dit fixes ! (*À part.*) Si les comètes s'en mêlent, ce métier deviendra impossible. Il faudra se faire gouverneur.

DES GITANS, *ensemble.*

Un ami qui te veut du bien...
Une brune qui sent l'orange...
Un grand voyage à Madrid...
L'héritage des Amériques...

UN SEUL

Après la mort de l'ami blond, tu recevras une lettre brune.

*Sur un tréteau, au fond, roulement de tambour.*

LES COMÉDIENS

Ouvrez vos beaux yeux, gracieuses dames et vous, seigneurs, prêtez l'oreille ! Les acteurs que voici, les plus grands et les plus réputés du royaume d'Espagne, et que j'ai décidés, non sans peine, à quitter la cour pour ce marché, vont jouer, pour vous complaire, un acte sacré de l'immortel Pedro de Lariba : *Les Esprits*[1]. Pièce qui vous laissera étonnés, et que les ailes du génie ont portée d'un seul coup à la hauteur des chefs-d'œuvre universels. Composition prodigieuse que notre roi aimait à ce point qu'il se la faisait jouer deux fois le jour et qu'il la contemplerait encore si je n'avais représenté à cette troupe sans égale l'intérêt et l'urgence qu'il y avait à la faire connaître aussi en ce marché, pour l'édification du public de Cadix, le plus averti de toutes les Espagnes !

Approchez donc, la représentation va commencer.

> *Elle commence en effet, mais on n'entend pas les acteurs, dont la voix est couverte par les bruits du marché.*

— À la fraîche, à la fraîche !

— La femme-homard, moitié femme, moitié poisson !

— Sardines frites ! Sardines frites !

— Ici, le roi de l'évasion qui sort de toutes les prisons !

— Prends mes tomates, ma belle, elles sont lisses comme ton cœur.

— Dentelles et linge de noces !

— Sans douleur et sans boniments, c'est Pedro qui arrache les dents !

NADA, *sortant ivre de la taverne.*

Écrasez tout. Faites une purée des tomates et du cœur ! En prison, le roi de l'évasion et cassons les dents de Pedro ! À mort l'astrologue qui n'aura pas prévu cela ! Mangeons la femme-homard et supprimons tout le reste, sinon ce qui se boit !

> *Un marchand étranger, richement vêtu, entre dans le marché au milieu d'un grand concours de filles.*

LE MARCHAND

Demandez, demandez le ruban de la Comète !

TOUS

Chut! Chut!

*Ils vont lui expliquer sa folie à l'oreille.*

LE MARCHAND

Demandez, demandez le ruban sidéral!

*Tous achètent du ruban.*
*Cris de joie. Musique. Le gouverneur avec*
*sa suite arrive au marché. On s'installe.*

LE GOUVERNEUR

Votre gouverneur vous salue et se réjouit de
vous voir assemblés comme de coutume en ces
lieux, au milieu des occupations qui font la richesse
et la paix de Cadix. Non, décidément, rien n'est
changé et cela est bon. Le changement m'irrite,
j'aime mes habitudes!

UN HOMME DU PEUPLE

Non, gouverneur, rien n'est vraiment changé,
nous autres, pauvres, pouvons te l'assurer. Les fins
de mois sont bien justes. L'oignon, l'olive et le
pain font notre subsistance et quant à la poule au
pot, nous sommes contents de savoir que d'autres
que nous la mangent toujours le dimanche. Ce
matin, il y a eu du bruit dans la ville et au-dessus de
la ville. En vérité, nous avons eu peur. Nous avons
eu peur que quelque chose fût changé, et que tout
d'un coup les misérables fussent contraints à se
nourrir de chocolat. Mais par tes soins, bon gouverneur, on nous annonça qu'il ne s'était rien

passé et que nos oreilles avaient mal entendu. Du coup, nous voici rassurés avec toi.

LE GOUVERNEUR

Le gouverneur s'en réjouit. Rien n'est bon de ce qui est nouveau.

LES ALCADES

Le gouverneur a bien parlé ! Rien n'est bon de ce qui est nouveau. Nous autres, alcades, mandatés par la sagesse et les ans, voulons croire en particulier que nos bons pauvres ne se sont pas donné un air d'ironie. L'ironie est une vertu qui détruit. Un bon gouverneur lui préfère les vices qui construisent.

LE GOUVERNEUR

En attendant, que rien ne bouge ! Je suis le roi de l'immobilité !

LES IVROGNES DE LA TAVERNE,
*autour de Nada.*

Oui, oui, oui ! Non, non, non ! Que rien ne bouge, bon gouverneur ! Tout tourne autour de nous et c'est une grande souffrance ! Nous voulons l'immobilité ! Que tout mouvement soit arrêté ! Que tout soit supprimé, hors le vin et la folie.

LE CHŒUR

Rien n'est changé ! Il ne se passe rien, il ne s'est rien passé ! Les saisons tournent autour de leur pivot et dans le ciel suave circulent des astres sages dont la tranquille géométrie condamne ces étoiles folles et déréglées qui incendient les prairies du ciel de leur chevelure enflammée, troublent de leur hurlement d'alerte la douce musique des planètes, bousculent par le vent de leur course les gravitations éternelles, font grincer les constellations et préparent, à tous les carrefours du ciel, de funestes collisions d'astres. En vérité, tout est en ordre, le monde s'équilibre ! C'est le midi de l'année, la saison haute et immobile ! Bonheur, bonheur ! Voici l'été ! Qu'importe le reste, le bonheur est notre fierté.

LES ALCADES

Si le ciel a des habitudes, remerciez-en le gouverneur puisqu'il est roi de l'habitude. Lui non plus n'aime pas les cheveux fous. Tout son royaume est bien peigné !

LE CHŒUR

Sages ! Nous resterons sages, puisque rien ne changera jamais. Que ferions-nous, cheveux au vent, l'œil enflammé, la bouche stridente ? Nous serons fiers du bonheur des autres !

LES IVROGNES, *autour de Nada.*

Supprimez le mouvement, supprimez, supprimez ! Ne bougez pas, ne bougeons pas ! Laissons couler les heures, ce règne-ci sera sans histoire ! La saison immobile est la saison de nos cœurs puisqu'elle est la plus chaude et qu'elle nous porte à boire !

> *Mais le thème sonore de l'alerte qui bourdonnait sourdement depuis un moment*

*monte tout d'un coup à l'aigu, tandis que deux énormes coups mats résonnent. Sur les tréteaux, un comédien, s'avançant vers le public en continuant sa pantomime, chancelle et tombe au milieu de la foule qui l'entoure immédiatement. Plus un mot, plus un geste : le silence est complet.*

*Quelques secondes d'immobilité, et c'est la précipitation générale.*

*Diego fend la foule qui s'écarte lentement et découvre l'homme.*

*Deux médecins arrivent qui examinent le corps, s'écartent et discutent avec agitation.*

*Un jeune homme demande des explications à l'un des médecins qui fait des gestes de dénégation. Le jeune homme le presse, et encouragé par la foule, le pousse à répondre, le secoue, se colle à lui dans le mouvement de l'adjuration et se trouve, finalement, lèvres à lèvres avec lui. Un bruit d'aspiration, et il fait mine de prendre un mot de la bouche du médecin. Il s'écarte et, à grand-peine, comme si le mot était trop grand pour sa bouche et qu'il faille de longs efforts pour s'en délivrer, il prononce :*

— La Peste.

*Tout le monde plie les genoux et chacun répète le mot de plus en plus fort et de plus en plus rapidement pendant que tous fuient, accomplissant de larges courbes sur la scène autour du gouverneur remonté sur son estrade. Le mouvement s'accélère, se préci-*

*pite, s'affole jusqu'à ce que les gens s'immo-
bilisent en groupes, à la voix du vieux curé.*

### LE CURÉ

À l'église, à l'église ! Voici que la punition
arrive. Le vieux mal est sur la ville ! C'est lui que le
ciel envoie depuis toujours aux cités corrompues
pour les châtier à mort de leur péché mortel.
Dans vos bouches menteuses, vos cris seront écra-
sés et un sceau brûlant va se poser sur votre cœur.
Priez maintenant le Dieu de justice pour qu'il
oublie et qu'il pardonne. Entrez dans l'église !
Entrez dans l'église !

*Quelques-uns se précipitent dans l'église.
Les autres se tournent mécaniquement à
droite et à gauche pendant que sonne la
cloche des morts. Au troisième plan, l'astrologue, comme s'il faisait un rapport au gouverneur, parle sur un ton très naturel.*

### L'ASTROLOGUE

Une conjonction maligne de planètes hostiles
vient de se dessiner sur le plan des astres. Elle
signifie et elle annonce sécheresse, famine et
peste à tout venant…

*Mais un groupe de femmes couvre tout de
son caquet.*

— Il avait à la gorge une énorme bête qui lui
pompait le sang avec un gros bruit de siphon !
— C'était une araignée, une grosse araignée
noire !

— Verte, elle était verte !

— Non, c'était un lézard des algues !

— Tu n'as rien vu ! C'était un poulpe, grand comme un petit d'homme.

— Diego, où est Diego ?

— Il y aura tellement de morts qu'il ne restera plus de vivants pour les enterrer !

— Aïe ! Si je pouvais partir !

— Partir ! Partir !

VICTORIA

— Diego, où est Diego ?

> *Pendant toute cette scène, le ciel s'est rempli de signes et le bourdonnement d'alerte s'est développé, accentuant la terreur générale. Un homme, le visage illuminé, sort d'une maison en criant : «Dans quarante jours, la fin du monde !» et de nouveau, la panique déroule ses courbes, les gens répétant : «Dans quarante jours, la fin du monde.» Des gardes viennent arrêter l'illuminé, mais de l'autre côté, sort une sorcière qui distribue des remèdes.*

LA SORCIÈRE

Mélisse, menthe, sauge, romarin, thym, safran, écorce de citron, pâtes d'amande… Attention, attention, ces remèdes sont infaillibles !

> *Mais une sorte de vent froid se lève, pendant que le soleil commence à se coucher et fait lever les têtes.*

### LA SORCIÈRE

Le vent! Voici le vent! Le fléau a horreur du vent. Tout ira mieux, vous le verrez!

> *Dans le même temps, le vent tombe, le bourdonnement remonte à l'aigu, les deux coups mats résonnent, assourdissants et un peu plus rapprochés. Deux hommes s'abattent au milieu de la foule. Tous fléchissent les genoux et commencent à s'écarter des corps à reculons. Seule demeure la sorcière avec, à ses pieds, les deux hommes qui portent des marques aux aines et à la gorge. Les malades se tordent, font deux ou trois gestes et meurent pendant que la nuit descend lentement sur la foule qui se déplace toujours vers l'extérieur, laissant les cadavres au centre.*
>
> *Obscurité.*
>
> *Lumière à l'église. Projecteur au palais du roi. Lumière dans la maison du juge. La scène est alternée.*

*AU PALAIS*

### LE PREMIER ALCADE

Votre honneur, l'épidémie se déclenche avec une rapidité qui déborde tous les secours. Les quartiers sont plus contaminés qu'on ne croit, ce qui m'incline à penser qu'il faut dissimuler la situation et ne dire la vérité au peuple à aucun prix. Du reste, et pour le moment, la maladie s'attaque surtout aux quartiers extérieurs qui sont pauvres et surpeuplés. Dans notre malheur, ceci du moins est satisfaisant.

*Murmures d'approbation.*

### À L'ÉGLISE

#### LE CURÉ

Approchez et que chacun confesse en public ce qu'il a fait de pire. Ouvrez vos cœurs, maudits ! Dites-vous les uns aux autres le mal que vous avez fait et celui que vous avez médité, ou sinon le poison du péché vous étouffera et vous mènera en enfer aussi sûrement que la pieuvre de la peste... Je m'accuse pour ma part, d'avoir souvent manqué de charité.

*Trois confessions mimées suivront pendant le dialogue qui suit.*

### AU PALAIS

#### LE GOUVERNEUR

Tout s'arrangera. L'ennuyeux, c'est que je devais aller à la chasse. Ces choses-là arrivent toujours quand on a quelque affaire importante. Comment faire ?

#### LE PREMIER ALCADE

Ne manquez point la chasse, ne serait-ce que pour l'exemple. La ville doit savoir quel front serein vous savez montrer dans l'adversité.

*À L'ÉGLISE*

### TOUS

Pardonnez-nous, mon Dieu, ce que nous avons fait et ce que nous n'avons point fait !

*DANS LA MAISON DU JUGE*

> *Le juge lit des psaumes entouré de sa famille.*

### LE JUGE

« Le seigneur est mon refuge et ma citadelle. Car c'est lui qui me préserve du piège de l'oise-leur.
Et de la peste meurtrière ! »

### LA FEMME

Casado, ne pouvons-nous sortir ?

### LE JUGE

Tu es beaucoup trop sortie dans ta vie, femme. Cela n'a pas fait notre bonheur.

### LA FEMME

Victoria n'est pas rentrée et je crains le mal pour elle.

### LE JUGE

Tu n'as pas toujours craint le mal pour toi. Et tu y as perdu l'honneur. Reste, c'est ici la maison tranquille au milieu du fléau. J'ai tout prévu et,

barricadés pour le temps de la peste, nous atten-
drons la fin. Dieu aidant, nous ne souffrirons de
rien.

### LA FEMME

Tu as raison, Casado. Mais nous ne sommes pas
les seuls. D'autres souffrent. Victoria est peut-être
en danger.

### LE JUGE

Laisse les autres et pense à la maison. Pense à
ton fils, par exemple. Fais venir toutes les provisions que tu pourras. Paye le prix qu'il faut. Mais
engrange, femme, engrange! Le temps est venu
d'engranger! (*Il lit :*) « Le seigneur est mon
refuge et ma citadelle... »

*À L'ÉGLISE*

*On reprend la suite.*

### LE CHŒUR

« Tu n'auras à craindre
Ni les terreurs de la nuit
Ni les flèches qui volent dans le jour
Ni la peste qui chemine dans l'ombre
Ni l'épidémie qui rampe en plein midi. »

### UNE VOIX

Oh! le grand et terrible Dieu!

*Lumière sur la place. Déambulations du
peuple sur le rythme d'une copla.*

LE CHŒUR

Tu as signé dans le sable
Tu as écrit sur la mer
Il ne reste que la peine.

*Entre Victoria. Projecteur sur la place.*

VICTORIA

Diego, où est Diego?

UNE FEMME

Il est auprès des malades. Il soigne ceux qui
l'appellent.

*Elle court à une extrémité de la scène et se
heurte à Diego qui porte le masque des
médecins de la peste. Elle recule, poussant
un cri.*

DIEGO, *doucement.*

Je te fais donc si peur, Victoria?

VICTORIA, *dans un cri.*

Oh! Diego, c'est enfin toi! Enlève ce masque et
serre-moi contre toi. Contre toi, contre toi et je
serai sauvée de ce mal!

*Il ne bouge pas.*

VICTORIA

Qu'y a-t-il de changé entre nous, Diego? Voici
des heures que je te cherche, courant à travers la
ville, épouvantée à l'idée que le mal pourrait te
toucher aussi, et te voici avec ce masque de tour-

ment et de maladie. Quitte-le, quitte-le, je t'en prie et prends-moi contre toi! (*Il enlève son masque.*) Quand je vois tes mains, ma bouche se dessèche. Embrasse-moi!

*Il ne bouge pas.*

VICTORIA, *plus bas.*

Embrasse-moi, je meurs de soif. As-tu oublié que hier seulement nous nous sommes engagés l'un à l'autre. Toute la nuit, j'ai attendu ce jour où tu devais m'embrasser de toutes tes forces. Vite, vite!…

DIEGO

J'ai pitié, Victoria!

VICTORIA

Moi aussi, mais j'ai pitié de nous. Et c'est pourquoi je t'ai cherché, criant dans les rues, courant vers toi, mes bras tendus pour les nouer aux tiens!

*Elle avance vers lui.*

DIEGO

Ne me touche pas, écarte-toi!

VICTORIA

Pourquoi?

DIEGO

Je ne me reconnais plus. Un homme ne m'a jamais fait peur, mais ceci me dépasse, l'honneur ne me sert de rien et je sens que je m'abandonne.

(*Elle avance vers lui.*) Ne me touche pas. Peut-être déjà le mal est-il en moi et je vais te le donner. Attends un peu. Laisse-moi respirer, car je suis étranglé de stupeur. Je ne sais même plus comment prendre ces hommes et les retourner dans leur lit. Mes mains tremblent d'horreur et la pitié bouche mes yeux. (*Des cris et des gémissements.*) Ils m'appellent pourtant, tu entends. Il faut que j'y aille. Mais veille sur toi, veille sur nous. Cela va finir, c'est sûr !

VICTORIA

Ne me quitte pas.

DIEGO

Cela va finir. Je suis trop jeune et je t'aime trop. La mort me fait horreur.

VICTORIA, *s'élançant vers lui.*

Je suis vivante, moi !

DIEGO *(il recule.)*

Quelle honte, Victoria, quelle honte.

VICTORIA

La honte, pourquoi la honte ?

DIEGO

Il me semble que j'ai peur.

> *On entend des gémissements. Il court dans leur direction.*
> *Déambulations du peuple sur le rythme d'une copla.*

LE CHŒUR

Qui a raison et qui a tort ?
Songe
Que tout ici-bas est mensonge
Il n'est rien de vrai que la mort.

> *Projecteur sur l'église et sur le palais du*
> *gouverneur.*
> *Psaumes et prières à l'église. Du palais le*
> *premier alcade s'adresse au peuple.*

LE PREMIER ALCADE

Ordre du gouverneur. À partir de ce jour, en
signe de pénitence à l'endroit du malheur commun et pour éviter les risques de contagion, tout
rassemblement public est interdit et tout divertis-
sement prohibé. Aussi bien…

> UNE FEMME *se met à hurler*
> *au milieu du peuple.*

Là ! Là ! On cache un mort. Il ne faut pas le laisser. Il va tout pourrir ! Honte des hommes ! Il faut
le porter en terre !

> *Désordre. Deux hommes s'en vont entraî-*
> *nant la femme.*

L'ALCADE

Aussi bien le gouverneur est en mesure de ras-
surer les citadins sur l'évolution du fléau inat-
tendu qui s'est abattu sur la ville. De l'avis de tous
les médecins, il suffira que le vent de mer se lève
pour que la peste recule. Dieu aidant…

*Mais les deux énormes coups mats l'interrompent suivis de deux autres coups cependant que la cloche des morts sonne à toute volée et que les prières déferlent dans l'église. Puis seul règne un silence terrifié au milieu duquel entrent deux personnages étrangers, un homme et une femme, que tous suivent des yeux. L'homme est corpulent. Tête nue. Il porte une sorte d'uniforme avec une décoration. La femme porte aussi un uniforme, mais avec un col et des manchettes blancs. Elle a un bloc-notes en main. Ils s'avancent jusque sous le palais du gouverneur et saluent.*

LE GOUVERNEUR

Que me voulez-vous, étrangers ?

L'HOMME, *sur le ton de la courtoisie.*

Votre place.

TOUS

Quoi ? Que dit-il ?

LE GOUVERNEUR

Vous avez mal choisi votre moment, et cette insolence peut vous coûter cher. Mais sans doute aurons-nous mal compris. Qui êtes-vous ?

L'HOMME

Je vous le donne en mille !

### LE PREMIER ALCADE

Je ne sais pas qui vous êtes, étranger, mais je sais où vous allez finir !

### L'HOMME, *très calme.*

Vous m'impressionnez. Qu'en pensez-vous, chère amie. Faut-il donc leur dire qui je suis ?

### LA SECRÉTAIRE

D'habitude, nous y mettons plus de manières.

### L'HOMME

Ces messieurs sont pourtant bien pressants.

### LA SECRÉTAIRE

Sans doute ont-ils leurs raisons. Après tout, nous sommes en visite et nous devons nous plier aux usages de ces lieux.

### L'HOMME

Je vous comprends. Mais cela ne mettra-t-il pas un peu de désordre dans ces bons esprits ?

### LA SECRÉTAIRE

Un désordre vaut mieux qu'une impolitesse.

### L'HOMME

Vous êtes convaincante. Mais il me reste quelques scrupules…

### LA SECRÉTAIRE

De deux choses l'une…

L'HOMME

Je vous écoute…

LA SECRÉTAIRE

Ou vous le dites, ou vous ne le dites pas. Si vous le dites, on le saura. Si vous ne le dites pas, on l'apprendra.

L'HOMME

Cela m'éclaire tout à fait.

LE GOUVERNEUR

Cela suffit, en tout cas! Avant de prendre les mesures qui conviennent, je vous somme une dernière fois de dire qui vous êtes et ce que vous voulez.

L'HOMME, *toujours naturel.*

Je suis la peste. Et vous?

LE GOUVERNEUR

La peste?

L'HOMME

Oui, et j'ai besoin de votre place. Je suis désolé, croyez-le bien, mais je vais avoir beaucoup à faire. Si je vous donnais deux heures, par exemple? Cela vous suffirait-il pour me passer les pouvoirs?

LE GOUVERNEUR

Cette fois-ci vous êtes allé trop loin et vous serez puni de cette imposture. Gardes!

### L'HOMME

Attendez ! Je ne veux forcer personne. J'ai pour principe d'être correct. Je comprends que ma conduite paraisse surprenante, et, en somme, vous ne me connaissez pas. Mais je désire vraiment que vous me cédiez la place sans m'obliger à faire mes preuves. Ne pouvez-vous me croire sur parole ?

### LE GOUVERNEUR

Je n'ai pas de temps à perdre et cette plaisanterie a déjà trop duré. Arrêtez cet homme !

### L'HOMME

Il faut donc se résigner. Mais tout cela est bien ennuyeux. Chère amie, voudriez-vous procéder à une radiation ?

> *Il tend le bras vers un des gardes. La secrétaire raye ostensiblement quelque chose sur son bloc-notes. Le coup mat retentit. Le garde tombe. La secrétaire l'examine.*

### LA SECRÉTAIRE

Tout est en ordre, Votre Honneur. Les trois marques sont là. (*Aux autres, aimablement.*) Une marque, et vous êtes suspect. Deux, vous voilà contaminé. Trois, la radiation est prononcée. Rien n'est plus simple.

### L'HOMME

Ah ! J'oubliais de vous présenter ma secrétaire. Vous la connaissez du reste. Mais on rencontre tant de gens…

LA SECRÉTAIRE

Ils sont excusables! Et puis, on finit toujours par me reconnaître.

L'HOMME

Une heureuse nature, vous voyez! Gaie, contente, propre de sa personne…

LA SECRÉTAIRE

Je n'y ai pas de mérite. Le travail est plus facile au milieu des fleurs fraîches et des sourires.

L'HOMME

Ce principe est excellent. Mais revenons à nos moutons! (*Au gouverneur.*) Vous ai-je donné une preuve suffisante de mon sérieux? Vous ne dites rien? Bon, je vous ai effrayé, naturellement. Mais c'est tout à fait contre mon gré, croyez-le bien. J'aurais préféré un arrangement à l'amiable, une convention basée sur la confiance réciproque, garantie par votre parole et la mienne, un accord conclu dans l'honneur en quelque sorte. Après tout, il n'est pas trop tard pour bien faire. Le délai de deux heures vous paraît-il suffisant?

> *Le gouverneur secoue la tête en signe de dénégation.*

L'HOMME, *en se tournant vers la secrétaire.*

Comme c'est désagréable!

LA SECRÉTAIRE, *secouant la tête.*

Un obstiné! Quel contretemps!

### L'HOMME, *au gouverneur.*

Je tiens pourtant à obtenir votre consentement.
Je ne veux rien faire sans votre accord, ce serait
contraire à mes principes. Ma collaboratrice va
donc procéder à autant de radiations qu'il sera
nécessaire pour obtenir de vous une libre approbation à la petite réforme que je propose. Êtes-vous
prête, chère amie ?

### LA SECRÉTAIRE

Le temps de tailler mon crayon qui s'est épointé
et tout sera pour le mieux dans le meilleur des
mondes.

### L'HOMME *(il soupire.)*

Sans votre optimisme, ce métier me serait bien
pénible !

### LA SECRÉTAIRE, *taillant son crayon.*

La parfaite secrétaire est sûre que tout peut
toujours s'arranger, qu'il n'y a pas d'erreur de
comptabilité qui ne finisse par se réparer, ni de
rendez-vous manqué qui ne puisse se retrouver.
Point de malheur qui n'ait son bon côté. La
guerre elle-même a ses vertus et il n'est pas jusqu'aux cimetières qui ne puissent être de bonnes
affaires lorsque les concessions à perpétuité sont
dénoncées tous les dix ans.

### L'HOMME

Vous parlez d'or… Votre crayon a-t-il sa pointe ?

LA SECRÉTAIRE

Il l'a et nous pouvons commencer.

L'HOMME

Allons !

*L'homme désigne Nada qui s'est avancé
mais Nada éclate d'un rire d'ivrogne.*

LA SECRÉTAIRE

Puis-je vous signaler que celui-ci a le genre qui ne
croit à rien et que ce genre-là nous est bien utile ?

L'HOMME

Très juste. Prenons donc un des alcades.

*Panique chez les alcades.*

LE GOUVERNEUR

Arrêtez !

LA SECRÉTAIRE

Bon signe, Votre Honneur !

L'HOMME, *empressé.*

Puis-je quelque chose pour vous, gouverneur.

LE GOUVERNEUR

Si je vous cède la place, moi, les miens et les
alcades aurons-nous la vie sauve ?

L'HOMME

Mais naturellement, voyons, c'est l'usage !

*Le gouverneur confère avec les alcades,*
*puis se tourne vers le peuple.*

LE GOUVERNEUR

Peuple de Cadix, vous comprenez, j'en suis sûr,
que tout est changé maintenant ? Dans votre intérêt même, il convient peut-être que je laisse cette
ville à la puissance nouvelle qui vient de s'y mani-
fester. L'accord que je conclus avec elle évitera
sans doute le pire et vous aurez ainsi la certitude
de conserver hors de vos murs un gouvernement
qui pourra un jour vous être utile. Ai-je besoin de
vous dire que je n'obéis pas, parlant ainsi, au
souci de ma sécurité, mais…

L'HOMME

Pardonnez-moi de vous interrompre. Mais je
serais heureux de vous voir préciser publiquement que vous consentez de plein gré à ces utiles
dispositions et qu'il s'agit naturellement d'un
accord libre.

*Le gouverneur regarde de leur côté. La*
*secrétaire porte le crayon à sa bouche.*

LE GOUVERNEUR

Bien entendu, c'est dans la liberté que je
conclus ce nouvel accord.

*Il balbutie, recule et s'enfuit. L'exode*
*commence.*

L'HOMME, *au premier alcade.*

S'il vous plaît, ne partez pas si vite ! J'ai besoin d'un homme qui ait la confiance du peuple et par l'intermédiaire duquel je puisse faire connaître mes volontés. (*Le premier alcade hésite.*) Vous acceptez naturellement… (*À la secrétaire.*) Chère amie…

LE PREMIER ALCADE

Mais naturellement, c'est un grand honneur.

L'HOMME

Parfait. Dans ces conditions, chère amie, vous allez communiquer à l'alcade ceux de nos arrêtés qu'il faut faire connaître à ces bonnes gens afin qu'ils commencent de vivre dans la réglementation.

LA SECRÉTAIRE

Ordonnance conçue et publiée par le premier alcade et ses conseillers…

LE PREMIER ALCADE

Mais je n'ai rien conçu encore…

LA SECRÉTAIRE

C'est une peine qu'on vous épargne. Et il me semble que vous devriez être flatté que nos services se donnent la peine de rédiger ce que vous allez ainsi avoir l'honneur de signer.

LE PREMIER ALCADE

Sans doute, mais…

### LA SECRÉTAIRE

Ordonnance donc faisant office d'acte promulgué en pleine obéissance des volontés de notre bien-aimé souverain, pour la réglementation et assistance charitable des citoyens atteints d'infection et pour la désignation de toutes les règles et de toutes les personnes telles que surveillants, gardiens, exécuteurs et fossoyeurs dont le serment sera d'appliquer strictement les ordres qui leur seront donnés.

### LE PREMIER ALCADE

Qu'est ce langage, je vous prie ?

### LA SECRÉTAIRE

C'est pour les habituer à un peu d'obscurité. Moins ils comprendront, mieux ils marcheront. Ceci dit, voici les ordonnances que vous allez faire crier par la ville l'une après l'autre, afin que la digestion en soit facilitée, même aux esprits les plus lents. Voici nos messagers. Leurs visages aimables aideront à fixer le souvenir de leurs paroles.

*Les messagers se présentent.*

### LE PEUPLE

Le gouverneur s'en va, le gouverneur s'en va !

### NADA

Selon son droit, peuple, selon son droit. L'État, c'est lui, et il faut protéger l'État.

LE PEUPLE

L'État, c'était lui, et maintenant, il n'est plus rien. Puisqu'il s'en va, c'est la Peste qui est l'État.

NADA

Qu'est-ce que ça peut vous faire ? Peste ou gouverneur, c'est toujours l'État.

> *Le peuple déambule et semble chercher des sorties. Un messager se détache.*

LE PREMIER MESSAGER

Toutes les maisons infectées devront être marquées au milieu de la porte d'une étoile noire d'un pied de rayon, ornée de cette inscription. « Nous sommes tous frères. » L'étoile devra rester jusqu'à la réouverture de la maison, sous peine des rigueurs de la loi.

> *Il se retire.*

UNE VOIX

Quelle loi ?

UNE AUTRE VOIX

La nouvelle, bien sûr.

LE CHŒUR

Nos maîtres disaient qu'ils nous protégeraient, et voici pourtant que nous sommes seuls. Des brumes affreuses commencent à s'épaissir aux quatre coins de la ville, dissipent peu à peu l'odeur des fruits et des roses, ternissent la gloire de la saison, étouffent la jubilation de l'été. Ah, Cadix, cité marine ! Hier encore, et par-dessus le détroit, le vent du désert, plus épais d'avoir passé sur les jardins africains, venait alanguir nos filles. Mais le vent est tombé, lui seul pouvait purifier la ville. Nos maîtres disaient que rien ne se passerait jamais et voici que l'autre avait raison, qu'il se passe quelque chose, que nous y sommes enfin et qu'il nous faut fuir, fuir sans tarder avant que les portes se referment sur notre malheur.

LE DEUXIÈME MESSAGER

Toutes les denrées de première nécessité seront désormais à la disposition de la communauté, c'est-à-dire qu'elles seront distribuées en parts égales et infimes à tous ceux qui pourront prouver leur loyale appartenance à la nouvelle société.

*La première porte se ferme.*

LE TROISIÈME MESSAGER

Tous les feux devront être éteints à neuf heures du soir et aucun particulier ne pourra demeurer dans un lieu public ou circuler dans les rues de la ville sans un laissez-passer en due forme qui ne sera délivré que dans des cas extrêmement rares et toujours de façon arbitraire. Tout contrevenant à ces dispositions sera puni des rigueurs de la loi.

DES VOIX, *crescendo*.

— On va fermer les portes.
— Les portes sont fermées.
— Non, toutes ne sont pas fermées.

### LE CHŒUR

Ah! Courons vers celles qui s'ouvrent encore. Nous sommes les fils de la mer. C'est là-bas, c'est là-bas qu'il nous faut arriver, au pays sans murailles et sans portes, aux plages vierges où le sable a la fraîcheur des lèvres, et où le regard porte si loin qu'il se fatigue. Courons à la rencontre du vent. À la mer! La mer enfin, la mer libre, l'eau qui lave, le vent qui affranchit!

### DES VOIX

À la mer! À la mer!

*L'exode se précipite.*

### LE QUATRIÈME MESSAGER

Il est sévèrement interdit de porter assistance à toute personne frappée par la maladie, si ce n'est en la dénonçant aux autorités qui s'en chargeront. La dénonciation entre membres d'une même famille est particulièrement recommandée et sera récompensée par l'attribution d'une double ration alimentaire, dite ration civique.

*La deuxième porte se ferme.*

### LE CHŒUR

À la mer! À la mer! La mer nous sauvera. Que lui font les maladies et les guerres! Elle a vu et recouvert bien des gouvernements! Elle n'offre que des matins rouges et des soirs verts et, du soir au matin, le froissement interminable de ses eaux tout le long de nuits débordantes d'étoiles!

Ô solitude, désert, baptême du sel! Être seul devant la mer, dans le vent, face au soleil, enfin

libéré de ces villes scellées comme des tombeaux
et de ces faces humaines que la peur a verrouil-
lées. Vite! Vite! Qui me délivrera de l'homme et
de ses terreurs? J'étais heureux sur le sommet de
l'année, abandonné parmi les fruits, la nature
égale, l'été bienveillant. J'aimais le monde, il y avait
l'Espagne et moi. Mais je n'entends plus le bruit
des vagues. Voici les clameurs, la panique, l'insulte
et la lâcheté, voici mes frères épaissis par la sueur et
l'angoisse, et désormais trop lourds à porter. Qui
me rendra les mers d'oubli, l'eau calme du large,
ses routes liquides et ses sillages recouverts. À la
mer! À la mer, avant que les portes se ferment!

UNE VOIX

Vite! Ne touche pas celui-ci qui était près du
mort!

UNE VOIX

Il est marqué!

UNE VOIX

À l'écart! À l'écart!

> *Ils le frappent. La troisième porte se ferme.*

UNE VOIX

Oh! Le grand et terrible Dieu!

UNE VOIX

Vite! Prends ce qu'il faut, le matelas et la cage
des oiseaux! N'oublie pas le collier du chien! Le
pot de menthe fraîche aussi. Nous en mâcherons
jusqu'à la mer!

UNE VOIX

Au voleur ! Au voleur ! Il a pris la nappe brodée de mon mariage !

> *On poursuit. On atteint. On frappe. La quatrième porte se ferme.*

UNE VOIX

Cache cela, veux-tu, cache nos provisions !

UNE VOIX

Je n'ai rien pour la route, donne-moi un pain, frère ? Je te donnerai ma guitare incrustée de nacre.

UNE VOIX

Ce pain-ci est pour mes enfants, non pour ceux qui se disent mes frères. Il y a des degrés dans la parenté.

UNE VOIX

Un pain, tout mon argent pour un seul pain !

> *La cinquième porte se ferme.*

LE CHŒUR

Vite ! Une seule porte reste ouverte ! Le fléau va plus vite que nous. Il hait la mer et ne veut pas que nous la retrouvions. Les nuits sont calmes, les étoiles filent au-dessus du mât. Que ferait ici la peste ? Elle veut nous garder sous elle, elle nous aime à sa manière. Elle veut que nous soyons heureux comme elle l'entend, non comme nous le voulons. Ce sont les plaisirs forcés, la vie froide, le bonheur à perpétuité. Tout se fixe, nous ne sentons plus sur nos lèvres l'ancienne fraîcheur du vent.

UNE VOIX

Prêtre, ne me quitte pas, je suis ton pauvre.

*Le prêtre fuit.*

LE PAUVRE

Il fuit ! il fuit ! Garde-moi près de toi ! C'est ton rôle de t'occuper de moi ! Si je te perds, alors j'ai tout perdu !

> *Le prêtre s'échappe. Le pauvre tombe en criant.*

LE PAUVRE

Chrétiens d'Espagne, vous êtes abandonnés !

LE CINQUIÈME MESSAGER<br>(il détache ses paroles.)

Enfin, et ceci sera le résumé.

> *La Peste et sa secrétaire, devant le premier alcade, sourient et approuvent en se congratulant.*

LE CINQUIÈME MESSAGER

Afin d'éviter toute contagion par la communication de l'air, les paroles mêmes pouvant être le véhicule de l'infection, il est ordonné à chacun des habitants de garder constamment dans la bouche un tampon imbibé de vinaigre qui les préservera du mal en même temps qu'il les entraînera à la discrétion et au silence.

> *À partir de ce moment chacun met un*
> *mouchoir dans sa bouche et le nombre des*
> *voix diminue en même temps que l'ampleur*
> *de l'orchestre. Le chœur commencé à plu-*
> *sieurs voix finira en une seule voix jusqu'à*
> *la pantomime finale qui se déroule dans un*
> *silence complet, les bouches des personnages*
> *gonflées et fermées.*
>
> *La dernière porte claque à toute volée.*

### LE CHŒUR

Malheur ! Malheur ! Nous sommes seuls, la Peste
et nous ! La dernière porte s'est refermée ! Nous
n'entendons plus rien. La mer est désormais trop
loin. À présent, nous sommes dans la douleur et
nous avons à tourner en rond dans cette ville
étroite, sans arbres et sans eaux, cadenassée de
hautes portes lisses, couronnée de foules hur-
lantes, Cadix enfin comme une arène noire et
rouge où vont s'accomplir les meurtres rituels.
Frères, cette détresse est plus grande que notre
faute, nous n'avons pas mérité cette prison ! Notre
cœur n'était pas innocent, mais nous aimions le
monde et ses étés : ceci aurait dû nous sauver ! Les
vents sont en panne et le ciel est vide ! Nous allons
nous taire pour longtemps. Mais une dernière fois,
avant que nos bouches se ferment sous le bâillon
de la terreur, nous crierons dans le désert.

> *Gémissements et silence.*
> *De l'orchestre, il ne reste plus que les*
> *cloches. Le bourdonnement de la comète*
> *reprend doucement. Dans le palais du gou-*
> *verneur réapparaissent la Peste et sa secré-*

*taire. La secrétaire avance, rayant un nom
à chaque pas, tandis que la batterie scande
chacun de ses gestes. Nada ricane et la première charrette de morts passe en grinçant.*

> *La Peste se dresse au sommet du décor et
> fait un signe. Tout s'arrête, mouvements et
> bruits.*

*La Peste parle.*

### LA PESTE

Moi, je règne, c'est un fait, c'est donc un droit.
Mais c'est un droit qu'on ne discute pas : vous
devez vous adapter.

Du reste, ne vous y trompez pas, si je règne
c'est à ma manière et il serait plus juste de dire
que je fonctionne. Vous autres, Espagnols, êtes
un peu romanesques et vous me verriez volontiers
sous l'aspect d'un roi noir ou d'un somptueux
insecte. Il vous faut du pathétique, c'est connu !
Eh bien ! non. Je n'ai pas de sceptre, moi, et j'ai
pris l'air d'un sous-officier. C'est la façon que j'ai
de vous vexer, car il est bon que vous soyez vexés :
vous avez tout à apprendre. Votre roi a les ongles
noirs et l'uniforme strict. Il ne trône pas, il siège.
Son palais est une caserne, son pavillon de chasse,
un tribunal. L'état de siège est proclamé.

C'est pourquoi, notez cela, lorsque j'arrive, le
pathétique s'en va. Il est interdit, le pathétique,
avec quelques autres balançoires comme la ridi-
cule angoisse du bonheur, le visage stupide des
amoureux, la contemplation égoïste des paysages
et la coupable ironie. À la place de tout cela, j'apporte l'organisation. Ça vous gênera un peu au

début, mais vous finirez par comprendre qu'une bonne organisation vaut mieux qu'un mauvais pathétique. Et pour illustrer cette belle pensée, je commence par séparer les hommes des femmes : ceci aura force de loi.

*Ainsi font les gardes.*

Vos singeries ont fait leur temps. Il s'agit maintenant d'être sérieux !

Je suppose que vous m'avez déjà compris. À partir d'aujourd'hui, vous allez apprendre à mourir dans l'ordre. Jusqu'ici vous mouriez à l'espagnole, un peu au hasard, au jugé pour ainsi dire. Vous mouriez parce qu'il avait fait froid après qu'il eut fait chaud, parce que vos mulets bronchaient, parce que la ligne des Pyrénées était bleue, parce qu'au printemps le fleuve Guadalquivir est attirant pour le solitaire, ou parce qu'il y a des imbéciles mal embouchés qui tuent pour le profit ou pour l'honneur, quand il est tellement plus distingué de tuer pour les plaisirs de la logique. Oui, vous mouriez mal. Un mort par-ci, un mort par-là, celui-ci dans son lit, celui-là dans l'arène : c'était du libertinage. Mais heureusement, ce désordre va être administré. Une seule mort pour tous et selon le bel ordre d'une liste. Vous aurez vos fiches, vous ne mourrez plus par caprice. Le destin, désormais s'est assagi, il a pris ses bureaux. Vous serez dans la statistique et vous allez enfin servir à quelque chose. Parce que j'oubliais de vous le dire, vous mourrez, c'est entendu, mais vous serez incinérés ensuite, ou même avant : c'est plus propre et ça fait partie du plan. Espagne d'abord !

Se mettre en rangs pour bien mourir, voilà donc le principal ! À ce prix vous aurez ma faveur. Mais attention aux idées déraisonnables, aux fureurs de l'âme, comme vous dites, aux petites fièvres qui font les grandes révoltes. J'ai supprimé ces complaisances et j'ai mis la logique à leur place. J'ai horreur de la différence et de la déraison. À partir d'aujourd'hui, vous serez donc raisonnables, c'est-à-dire que vous aurez votre insigne. Marqués aux aines, vous porterez publiquement sous l'aisselle l'étoile du bubon qui vous désignera pour être frappés. Les autres, ceux qui, persuadés que ça ne les concerne pas, font la queue aux arènes du dimanche, s'écarteront de vous qui serez suspects. Mais n'ayez aucune amertume : ça les concerne. Ils sont sur la liste et je n'oublie personne. Tous suspects, c'est le bon commencement.

Du reste, tout cela n'empêche pas la sentimentalité. J'aime les oiseaux, les premières violettes, la bouche fraîche des jeunes filles. De loin en loin, c'est rafraîchissant et il est bien vrai que je suis idéaliste. Mon cœur… Mais je sens que je m'attendris et je ne veux pas aller plus loin. Résumons-nous seulement. Je vous apporte le silence, l'ordre et l'absolue justice. Je ne vous demande pas de m'en remercier, ce que je fais pour vous étant bien naturel. Mais j'exige votre collaboration active. Mon ministère est commencé.

RIDEAU

# DEUXIÈME PARTIE

Une place de Cadix. Côté jardin, la conciergerie du cimetière. Côté cour, un quai. Près du quai, la maison du juge.

Au lever du rideau, les fossoyeurs en tenue de bagnard relèvent des morts. Le grincement de la charrette se fait entendre en coulisse. Elle entre et s'arrête au milieu de la scène. Les bagnards la chargent. Elle repart vers la conciergerie. Au moment où elle s'arrête devant le cimetière, musique militaire et la conciergerie s'ouvre au public par un de ses pans. Elle ressemble à un préau d'école. La secrétaire y trône. Un peu plus bas, des tables comme celles où l'on distribue les cartes de ravitaillement. Derrière l'une d'elles, le premier alcade avec sa moustache blanche, entouré de fonctionnaires. La musique se renforce. De l'autre côté, les gardes chassent le peuple devant eux et l'amènent devant et dans la conciergerie, femmes et hommes séparés.

Lumière au centre. Du haut de son palais, la Peste dirige des ouvriers invisibles dont on aperçoit seulement l'agitation autour de la scène.

LA PESTE

Allons, vous autres, dépêchons. Les choses vont bien lentement dans cette ville, ce peuple-ci n'est pas travailleur. Il aime le loisir, c'est visible. Moi, je ne conçois l'inactivité que dans les casernes et dans les files d'attente. Ce loisir-là est bon, il vide le cœur et les jambes. C'est un loisir qui ne sert à rien. Dépêchons ! Finissez de planter ma tour, la surveillance n'est pas en place. Entourez la ville de haies piquantes. À chacun son printemps, le mien a des roses de fer. Allumez les fours, ce sont nos feux de joie. Gardes ! placez nos étoiles sur les maisons dont j'ai l'intention de m'occuper. Vous, chère amie, commencez de dresser nos listes et faites établir nos certificats d'existence !

*La Peste sort de l'autre côté.*

LE PÊCHEUR *(c'est le coryphée.)*

Un certificat d'existence, pourquoi faire ?

LA SECRÉTAIRE

Pourquoi faire ? Comment vous passeriez-vous d'un certificat d'existence pour vivre ?

LE PÊCHEUR

Jusqu'ici nous avions très bien vécu sans ça.

LA SECRÉTAIRE

C'est que vous n'étiez pas gouvernés. Tandis que vous l'êtes maintenant. Et le grand principe de notre gouvernement est justement qu'on a toujours besoin d'un certificat. On peut se passer de pain et de femme, mais une attestation en règle, et qui certifie n'importe quoi, voilà ce dont on ne saurait se priver !

LE PÊCHEUR

Cela fait trois générations qu'on jette les filets dans ma famille et le travail s'est toujours fait fort proprement ; sans un papier écrit, je vous le jure bien !

UNE VOIX

Nous sommes bouchers de père en fils. Et pour abattre les moutons, nous ne nous servons pas d'un certificat.

LA SECRÉTAIRE

Vous étiez dans l'anarchie, voilà tout ! Remarquez que nous n'avons rien contre les abattoirs, au contraire ! Mais nous y avons introduit les perfectionnements de la comptabilité. C'est là notre supériorité. Quant aux coups de filet, vous verrez aussi que nous sommes d'une jolie force.

Monsieur le premier alcade, avez-vous les formulaires ?

LE PREMIER ALCADE

Les voici.

LA SECRÉTAIRE

Gardes, voulez-vous aider monsieur à avancer !

*On fait avancer le pêcheur.*

LE PREMIER ALCADE *(il lit.)*

Noms, prénoms, qualité.

LA SECRÉTAIRE

Passez cela qui va de soi. Monsieur remplira les blancs lui-même.

LE PREMIER ALCADE

Curriculum vitae.

LE PÊCHEUR

Je ne comprends pas.

LA SECRÉTAIRE

Vous devez indiquer ici les événements importants de votre vie. C'est une manière de faire votre connaissance !

LE PÊCHEUR

Ma vie est à moi. C'est du privé, et qui ne regarde personne.

LA SECRÉTAIRE

Du privé ! Ces mots n'ont pas de sens pour nous. Il s'agit naturellement de votre vie publique. La seule d'ailleurs qui vous soit autorisée. Monsieur l'alcade, passez au détail.

LE PREMIER ALCADE

Marié ?

LE PÊCHEUR

En 31.

LE PREMIER ALCADE

Motifs de l'union?

LE PÊCHEUR

Motifs! Le sang va m'étouffer!

LA SECRÉTAIRE

Cela est écrit. Et c'est une bonne manière de rendre public ce qui doit cesser d'être personnel!

LE PÊCHEUR

Je me suis marié parce que c'est ce qu'on fait quand on est un homme.

LE PREMIER ALCADE

Divorcé?

LE PÊCHEUR

Non, veuf.

LE PREMIER ALCADE

Remarié?

LE PÊCHEUR

Non.

LA SECRÉTAIRE

Pourquoi?

LE PÊCHEUR *(hurlant.)*

J'aimais ma femme.

LA SECRÉTAIRE

Bizarre ! Pourquoi ?

LE PÊCHEUR

Peut-on tout expliquer ?

LA SECRÉTAIRE

Oui, dans une société bien organisée !

LE PREMIER ALCADE

Antécédents ?

LE PÊCHEUR

Qu'est-ce encore ?

LA SECRÉTAIRE

Avez-vous été condamné pour pillage, parjure, ou viol ?

LE PÊCHEUR

Jamais !

LA SECRÉTAIRE

Un honnête homme, je m'en doutais ! Monsieur le premier alcade, vous ajouterez la mention : à surveiller.

LE PREMIER ALCADE

Sentiments civiques ?

LE PÊCHEUR

J'ai toujours bien servi mes concitoyens. Je n'ai jamais laissé partir un pauvre sans quelque bon poisson.

LA SECRÉTAIRE

Cette manière de répondre n'est pas autorisée.

LE PREMIER ALCADE

Oh ! Ceci, je puis l'expliquer ! Les sentiments civiques, vous pensez bien, c'est ma partie ! Il s'agit de savoir, mon brave, si vous êtes de ceux qui respectent l'ordre existant pour la seule raison qu'il existe ?

LE PÊCHEUR

Oui, lorsqu'il est juste et raisonnable.

LA SECRÉTAIRE

Douteux ! Inscrivez que les sentiments civiques sont douteux ! Et lisez la dernière question.

LE PREMIER ALCADE,
*déchiffrant péniblement.*

Raisons d'être ?

LE PÊCHEUR

Que ma mère soit mordue à l'endroit du péché si je comprends quelque chose à ce patois.

LA SECRÉTAIRE

Cela signifie qu'il faut donner les raisons que vous avez d'être en vie.

### LE PÊCHEUR

Les raisons ! Quelles raisons voulez-vous que je trouve ?

### LA SECRÉTAIRE

Vous voyez ! Notez-le bien, monsieur le premier alcade, le soussigné reconnaît que son existence est injustifiable. Nous en serons plus libres quand le moment viendra. Et vous, soussigné, vous comprendrez mieux que le certificat d'existence qui vous sera délivré soit provisoire et à terme.

### LE PÊCHEUR

Provisoire ou non, donnez-le-moi que je retourne enfin à la maison où l'on m'attend.

### LA SECRÉTAIRE

Certes ! Mais auparavant, il vous faudra fournir un certificat de santé qui vous sera délivré, au moyen de quelques formalités, au premier étage, division des affaires en cours, bureau des attentes, section auxiliaire.

> *Il sort. La charrette des morts est arrivée pendant ce temps à la porte du cimetière et on commence à la décharger. Mais Nada ivre saute de la charrette en hurlant.*

### NADA

Mais puisque je vous dis que je ne suis pas mort !

> *On veut le remettre dans la charrette. Il s'échappe et entre dans la conciergerie.*

Enfin quoi! Si j'étais mort, on le saurait! Oh! pardon!

LA SECRÉTAIRE

Ce n'est rien. Approchez.

NADA

Ils m'ont chargé dans la charrette. Mais j'avais trop bu, voilà tout! Histoire de supprimer!

LA SECRÉTAIRE

Supprimer quoi?

NADA

Tout, ma jolie! Plus on supprime et mieux vont les choses. Et si on supprime tout, voici le paradis! Les amoureux, tenez! J'ai horreur de ça! Quand ils passent devant moi, je crache dessus. Dans leur dos, bien entendu, parce qu'il y en a de rancuniers! Et les enfants, cette sale engeance! Les fleurs, avec leur air bête, les rivières, incapables de changer d'idée! Ah! Supprimons, supprimons! C'est ma philosophie! Dieu nie le monde, et moi je nie Dieu! Vive rien puisque c'est la seule chose qui existe!

LA SECRÉTAIRE

Et comment supprimer tout ça?

NADA

Boire, boire jusqu'à la mort et tout disparaît!

LA SECRÉTAIRE

Mauvaise technique! La nôtre est meilleure!
Comment t'appelles-tu?

NADA

Rien.

LA SECRÉTAIRE

Comment?

NADA

Rien.

LA SECRÉTAIRE

Je te demande ton nom.

NADA

C'est là mon nom.

LA SECRÉTAIRE

Bon cela! Avec un nom pareil, nous avons tout
à faire ensemble! Passe de ce côté-ci. Tu seras
fonctionnaire de notre royaume.

*Entre le pêcheur.*

Monsieur l'alcade, voulez-vous mettre au courant notre ami Rien. Pendant ce temps, vous,
gardes, vous vendrez nos insignes. (*Elle s'avance vers
Diego.*) Bonjour. Voulez-vous acheter un insigne?

DIEGO

Quel insigne?

LA SECRÉTAIRE

L'insigne de la Peste, voyons. (*Un temps.*) Vous êtes libre de le refuser d'ailleurs. Il n'est pas obligatoire.

DIEGO

Je refuse donc.

LA SECRÉTAIRE

Très bien. (*Allant vers Victoria.*) Et vous?

VICTORIA

Je ne vous connais pas.

LA SECRÉTAIRE

Parfait. Je vous signale simplement que ceux qui refusent de porter cet insigne ont l'obligation d'en porter un autre.

DIEGO

Lequel?

LA SECRÉTAIRE

Eh bien, l'insigne de ceux qui refusent de porter l'insigne. De cette façon, on voit du premier coup à qui on a affaire.

LE PÊCHEUR

Je vous demande pardon…

LA SECRÉTAIRE, *se retournant
vers Diego et Victoria.*

À bientôt ! (*Au pêcheur.*) Qu'est-ce qu'il y a
encore ?

LE PÊCHEUR *avec une fureur croissante.*

Je viens du premier étage, et on m'a répondu
qu'il me fallait revenir ici afin d'obtenir le certificat d'existence sans lequel on ne me donnera pas
de certificat de santé.

LA SECRÉTAIRE

C'est classique !

LE PÊCHEUR

Comment, c'est classique ?

LA SECRÉTAIRE

Oui, cela prouve que cette ville commence à être
administrée. Notre conviction, c'est que vous êtes
coupables[1]. Coupables d'être gouvernés naturellement. Encore faut-il que vous sentiez vous-mêmes
que vous êtes coupables. Et vous ne vous trouverez
pas coupables tant que vous ne vous sentirez pas
fatigués. On vous fatigue, voilà tout. Quand vous
serez achevés de fatigue, le reste ira tout seul.

LE PÊCHEUR

Puis-je du moins avoir ce sacré certificat d'existence ?

LA SECRÉTAIRE

En principe non, puisqu'il vous faut d'abord un certificat de santé pour avoir un certificat d'existence. Apparemment, il n'y a pas d'issue.

LE PÊCHEUR

Alors ?

LA SECRÉTAIRE

Alors, il reste notre bon plaisir. Mais il est à court terme, comme tout bon plaisir. Nous vous donnons donc ce certificat par faveur spéciale. Simplement il ne sera valable que pour une semaine. Dans une semaine, nous verrons.

LE PÊCHEUR

Nous verrons quoi ?

LA SECRÉTAIRE

Nous verrons s'il y a lieu de vous le renouveler.

LE PÊCHEUR

Et s'il n'est pas renouvelé ?

LA SECRÉTAIRE

Votre existence n'ayant plus sa garantie, on procédera sans doute à une radiation. Monsieur l'alcade, faites établir ce certificat en treize exemplaires.

LE PREMIER ALCADE

Treize ?

LA SECRÉTAIRE

Oui! Un pour l'intéressé et douze pour le bon fonctionnement.

*Lumière au centre.*

LA PESTE

Faites commencer les grands travaux inutiles. Vous, chère amie, tenez prête la balance des déportations et concentrations. Activez la transformation des innocents en coupables pour que la main-d'œuvre soit suffisante. Déportez ce qui est important! Nous allons manquer d'hommes, c'est sûr! Où en est le recensement?

LA SECRÉTAIRE

Il est en cours, tout est pour le mieux et il me semble que ces braves gens m'ont comprise!

LA PESTE

Vous avez l'attendrissement trop prompt, chère amie. Vous éprouvez le besoin d'être comprise. C'est une faute dans notre métier. Ces braves gens, comme vous dites, n'ont naturellement rien compris, mais cela est sans importance! L'essentiel n'est pas qu'ils comprennent, mais qu'ils s'exécutent. Tiens! C'est une expression qui a du sens, ne trouvez-vous pas?

LA SECRÉTAIRE

Quelle expression?

LA PESTE

S'exécuter. Allons, vous autres, exécutez-vous, exécutez-vous ! Hein ! Quelle formule !

LA SECRÉTAIRE

Magnifique !

LA PESTE

Magnifique ! On y trouve tout ! L'image de l'exécution d'abord, qui est une image attendrissante et puis l'idée que l'exécuté collabore lui-même à son exécution, ce qui est le but et la consolation de tout bon gouvernement[1] !

*Du bruit au fond.*

LA PESTE

Qu'est-ce que c'est ?

*Le chœur des femmes s'agite.*

LA SECRÉTAIRE

Ce sont les femmes qui s'agitent.

LE CHŒUR

Celle-ci a quelque chose à dire.

LA PESTE

Avance.

UNE FEMME, *s'avançant.*

Où est mon mari ?

LA PESTE

Allons bon ! Voilà le cœur humain, comme on dit ! Qu'est-ce qu'il lui est arrivé à ce mari ?

LA FEMME

Il n'est pas rentré.

LA PESTE

C'est banal. Ne te soucie de rien. Il a déjà trouvé un lit.

LA FEMME

Celui-là est un homme et il se respecte.

LA PESTE

Naturellement, un phénix ! Voyez donc ça, chère amie.

LA SECRÉTAIRE

Noms et prénoms !

LA FEMME

Galvez, Antonio.

> *La secrétaire regarde son carnet et parle à l'oreille de la Peste.*

LA SECRÉTAIRE

Eh bien ! Il a la vie sauve, sois heureuse.

LA FEMME

Quelle vie ?

LA SECRÉTAIRE

La vie de château !

LA PESTE

Oui, je l'ai déporté avec quelques autres qui faisaient du bruit et que j'ai voulu épargner.

LA FEMME, *reculant.*

Qu'en avez-vous fait ?

LA PESTE, *avec une rage hystérique.*

Je les ai concentrés. Jusqu'ici, ils vivaient dans la dispersion et la frivolité, un peu délayés pour ainsi dire ! Maintenant ils sont plus fermes, ils se concentrent !

LA FEMME, *fuyant vers le chœur
qui s'ouvre pour l'accueillir.*

Ah ! Misère ! Misère sur moi !

LE CHŒUR

Misère ! Misère sur nous !

LA PESTE

Silence ! Ne restez pas inactives ! Faites quelque chose ! Occupez-vous ! (*Rêveur.*) Ils s'exécutent, ils s'occupent, ils se concentrent. La grammaire est une bonne chose et qui peut servir à tout !

> *Lumière rapide sur la conciergerie où Nada est assis, avec l'alcade. Devant lui, des files d'administrés.*

UN HOMME

La vie a augmenté et les salaires sont devenus insuffisants.

NADA

Nous le savions et voici un nouveau barème. Il vient d'être établi.

L'HOMME

Quel sera le pourcentage d'augmentation ?

NADA *(il lit.)*

C'est très simple ! Barème numéro 108. « L'arrêté de revalorisation des salaires interprofessionnels et subséquents porte suppression du salaire de base et libération inconditionnelle des échelons mobiles qui reçoivent ainsi licence de rejoindre un salaire maximum qui reste à prévoir. Les échelons, soustraction faite des majorations consenties fictivement par le barème numéro 107 continueront cependant d'être calculés, en dehors des modalités proprement dites de reclassement, sur le salaire de base précédemment supprimé. »

L'HOMME

Mais quelle augmentation cela représente-t-il ?

NADA

L'augmentation est pour plus tard, le barème pour aujourd'hui. Nous les augmentons d'un barème, voilà tout.

L'HOMME

Mais que voulez-vous qu'ils fassent de ce barème?

NADA, *hurlant.*

Qu'ils le mangent! Au suivant. (*Un autre homme se présente.*) Tu veux ouvrir un commerce. Riche idée, ma foi. Eh! bien, commence par remplir ce formulaire. Mets tes doigts dans cette encre. Pose-les ici. Parfait.

L'HOMME

Où puis-je m'essuyer?

NADA

Où puis-je m'essuyer? (*Il feuillette un dossier.*) Nulle part. Ce n'est pas prévu par le règlement.

L'HOMME

Mais je ne puis rester ainsi.

NADA

Pourquoi pas? Du reste, qu'est-ce que cela te fait puisque tu n'as pas le droit de toucher à ta femme. Et puis, c'est bon pour ton cas.

L'HOMME

Comment, c'est bon?

NADA

Oui. Ça t'humilie, donc c'est bon. Mais revenons à ton commerce. Préfères-tu bénéficier de l'article 208 du chapitre 62 de la seizième circulaire comptant pour le cinquième règlement général ou bien l'alinéa 27 de l'article 207 de la circulaire 15 comptant pour le règlement particulier ?

Mais je ne connais ni l'un ni l'autre de ces textes !

Bien sûr, homme ! Tu ne les connais pas. Moi non plus. Mais comme il faut cependant se décider, nous allons te faire bénéficier des deux à la fois.

C'est beaucoup, Nada, et je te remercie.

Ne me remercie pas. Car il paraît que l'un de ces articles te donne le droit d'avoir ta boutique, tandis que l'autre t'enlève celui d'y vendre quelque chose.

Qu'est-ce donc que cela ?

L'ordre !

*Une femme arrive, affolée.*

Qu'y a-t-il, femme ?

LA FEMME

On a réquisitionné ma maison.

NADA

Bon.

LA FEMME

On y a installé des services administratifs.

NADA

Cela va de soi !

LA FEMME

Mais je suis dans la rue et l'on a promis de me reloger.

NADA

Tu vois, on a pensé à tout !

LA FEMME

Oui, mais il faut faire une demande qui suivra son cours. En attendant, mes enfants sont à la rue.

NADA

Raison de plus pour faire ta demande. Remplis ce formulaire.

LA FEMME *(elle prend le formulaire.)*

Mais cela ira-t-il vite ?

NADA

Cela peut aller vite à condition que tu fournisses une justification d'urgence.

LA FEMME

Qu'est-ce que c'est?

NADA

Une pièce qui atteste qu'il est urgent pour toi de n'être plus à la rue.

LA FEMME

Mes enfants n'ont pas de toit, quoi de plus pressé que de leur en donner un?

NADA

On ne te donnera pas un logement parce que tes enfants sont dans la rue. On te donnera un logement si tu fournis une attestation. Ce n'est pas la même chose.

LA FEMME

Je n'ai jamais rien entendu à ce langage. Le diable parle ainsi et personne ne le comprend!

NADA

Ce n'est pas un hasard, femme. Il s'agit ici de faire en sorte que personne ne se comprenne, tout en parlant la même langue. Et je puis bien te dire que nous approchons de l'instant parfait où tout le monde parlera sans jamais trouver d'écho, et où les deux langages qui s'affrontent dans cette ville se détruiront l'un l'autre avec une telle obstination qu'il faudra bien que tout s'achemine vers l'accomplissement dernier qui est le silence et la mort.

*Ensemble*

LA FEMME

La justice est que les enfants mangent à leur faim et n'aient pas froid. La justice est que mes petits vivent. Je les ai mis au monde sur une terre de joie. La mer a fourni l'eau de leur baptême. Ils n'ont pas besoin d'autres richesses. Je ne demande rien pour eux que le pain de tous les jours et le sommeil des pauvres. Ce n'est rien et pourtant c'est cela que vous refusez. Et si vous refusez aux malheureux leur pain, il n'est pas de luxe, ni de beau langage, ni de promesses mystérieuses qui vous le fassent jamais pardonner.

NADA

Choisissez de vivre à genoux plutôt que de mourir debout afin que l'univers trouve son ordre mesuré à l'équerre des potences, partagé entre les morts tranquilles et les fourmis désormais bien élevées, paradis puritain privé de prairies et de pain, où circulent des anges policiers aux ailes majuscules parmi des bienheureux rassasiés de papier et de nourrissantes formules, prosternés devant le Dieu décoré destructeur de toutes choses et décidément dévoué à dissiper les anciens délires d'un monde trop délicieux.

*Ensemble*

NADA

Vive rien ! Personne ne se comprend plus : nous sommes dans l'instant parfait !

*Lumière au centre. On aperçoit en découpure des cabanes et des barbelés, des miradors et quelques autres monuments hostiles. Entre Diego vêtu du masque, l'allure traquée. Il aperçoit les monuments, le peuple et la Peste.*

DIEGO, *s'adressant au chœur.*

Où est l'Espagne ? Où est Cadix ? Ce décor n'est d'aucun pays ! Nous sommes dans un autre monde où l'homme ne peut pas vivre. Pourquoi êtes-vous muets?

LE CHŒUR

Nous avons peur! Ah! si le vent se levait...

DIEGO

J'ai peur aussi. Cela fait du bien de crier sa peur! Criez, le vent répondra.

LE CHŒUR

Nous étions un peuple et nous voici une masse! On nous invitait, nous voici convoqués! Nous échangions le pain et le lait, maintenant nous sommes ravitaillés! Nous piétinons! (*Ils piétinent.*) Nous piétinons et nous disons que personne ne peut rien pour personne et qu'il faut attendre à notre place, dans le rang qui nous est assigné! À quoi bon crier? Nos femmes n'ont plus le visage de fleur qui nous faisait souffler de désir, l'Espagne a disparu! Piétinons! Piétinons! Ah douleur! C'est nous que nous piétinons! Nous étouffons dans cette ville close! Ah! si le vent se levait...

LA PESTE

Ceci est la sagesse. Approche Diego, maintenant que tu as compris.

*Dans le ciel, bruit des radiations.*

DIEGO

Nous sommes innocents!

*La Peste éclate de rire.*

DIEGO, *criant.*

L'innocence, bourreau, comprends-tu cela, l'innocence !

LA PESTE

L'innocence ! Connais pas !

DIEGO

Alors, approche. Le plus fort tuera l'autre.

LA PESTE

Le plus fort, c'est moi, innocent. Regarde.

> *Il fait un signe aux gardes qui s'avancent vers Diego. Celui-ci fuit.*

LA PESTE

Courez après lui ! Ne le laissez pas s'échapper ! Celui qui fuit nous appartient ! Marquez-le.

> *Des gardes courent après Diego. Poursuite mimée sur les praticables. Sifflets. Sirènes d'alerte.*

LE CHŒUR

L'autre court ! Il a peur et il le dit. Il n'a pas sa maîtrise, il est dans la folie ! Nous, nous sommes devenus sages. Nous sommes administrés. Mais dans le silence des bureaux, nous écoutons un long cri contenu qui est celui des cœurs séparés et qui nous parle de la mer sous le soleil de midi, de l'odeur des roseaux dans le soir, des bras frais de nos femmes. Nos faces sont scellées, nos pas comptés, nos heures ordonnées, mais notre cœur refuse le silence. Il refuse les listes et les matricules, les murs qui n'en finissent pas, les barreaux aux fenêtres, les petits matins hérissés de fusils. Il refuse comme celui-ci qui court pour atteindre une maison, fuyant ce décor d'ombres et de chiffres, pour retrouver enfin un refuge. Mais le seul refuge est la mer dont ces murs nous séparent. Que le vent se lève et nous pourrons enfin respirer…

> *Diego s'est en effet précipité dans une maison. Les gardes s'arrêtent devant la porte et y postent des sentinelles.*

LA PESTE, *hurlant.*

Marquez-le ! Marquez-les tous ! Même ce qu'ils ne disent pas peut encore s'entendre ! Ils ne peuvent plus protester, mais leur silence grince ! Écrasez leurs bouches ! Bâillonnez-les et apprenez-leur les maîtres-mots jusqu'à ce qu'eux aussi répètent toujours la même chose, jusqu'à ce qu'ils deviennent enfin les bons citoyens dont nous avons besoin.

> *Des cintres, tombent alors, vibrants comme s'ils passaient par des haut-parleurs, des nuées de slogans qui s'amplifient à mesure qu'ils sont répétés et qui recouvrent le chœur à bouche fermée jusqu'à ce que règne un silence total.*

Une seule peste, un seul peuple !
Concentrez-vous, exécutez-vous, occupez-vous !
Une bonne peste vaut mieux que deux libertés !
Déportez, torturez, il en restera toujours quelque chose !

> *Lumière chez le juge.*

VICTORIA

Non, père. Vous ne livrerez pas cette vieille ser-
vante sous prétexte qu'elle est contaminée.
Oubliez-vous qu'elle m'a élevée et qu'elle vous a
servi sans jamais se plaindre.

LE JUGE

Ce qu'une fois j'ai décidé, qui oserait le
reprendre ?

VICTORIA

Vous ne pouvez décider de tout. La douleur a
aussi ses droits.

LE JUGE

Mon rôle est de préserver cette maison et d'empêcher que le mal y pénètre. Je...

*Entre soudain Diego.*

LE JUGE

Qui t'a permis d'entrer ici ?

DIEGO

C'est la peur qui m'a poussé chez toi ! Je fuis la
Peste.

LE JUGE

Tu ne la fuis pas, tu la portes avec toi. (*Il montre
du doigt à Diego la marque qu'il porte maintenant à
l'aisselle. Silence. Deux ou trois coups de sifflet au loin.*)
Quitte cette maison.

DIEGO

Garde-moi ! Si tu me chasses, ils me mêleront à tous les autres et ce sera l'entassement de la mort.

LE JUGE

Je suis le serviteur de la loi, je ne puis t'accueillir ici.

DIEGO

Tu servais l'ancienne loi. Tu n'as rien à faire avec la nouvelle.

LE JUGE

Je ne sers pas la loi pour ce qu'elle dit, mais parce qu'elle est la loi.

DIEGO

Mais si la loi est le crime ?

LE JUGE

Si le crime devient la loi, il cesse d'être crime.

DIEGO

Et c'est la vertu qu'il faut punir !

LE JUGE

Il faut la punir, en effet, si elle a l'arrogance de discuter la loi.

VICTORIA

Casado, ce n'est pas la loi qui te fait agir, c'est la peur.

LE JUGE

Celui-ci aussi a peur.

VICTORIA

Mais il n'a encore rien trahi.

LE JUGE

Il trahira. Tout le monde trahit parce que tout le monde a peur. Tout le monde a peur parce que personne n'est pur.

VICTORIA

Père, j'appartiens à cet homme, vous y avez consenti. Et vous ne pouvez me l'enlever aujourd'hui après me l'avoir donné hier.

LE JUGE

Je n'ai pas dit oui à ton mariage. J'ai dit oui à ton départ.

VICTORIA

Je savais que vous ne m'aimiez pas.

LE JUGE *la regarde.*

Toute femme me fait horreur.

*On frappe brutalement à la porte.*

Qu'est-ce que c'est ?

UN GARDE, *au-dehors.*

La maison est condamnée pour avoir abrité un suspect. Tous les habitants sont en observation.

DIEGO, *éclatant de rire.*

La loi est bonne, tu le sais bien. Mais elle est un peu nouvelle et tu ne la connaissais pas tout à fait. Juge, accusés et témoins, nous voilà tous frères !

> *Entrent la femme du juge, le jeune fils et la fille.*

LA FEMME

On a barricadé la porte.

VICTORIA

La maison est condamnée.

LE JUGE

À cause de lui. Et je vais le dénoncer. Ils ouvriront alors la maison.

VICTORIA

Père, l'honneur vous le défend.

LE JUGE

L'honneur est une affaire d'hommes et il n'y a plus d'hommes dans cette ville.

> *On entend des sifflets, le bruit d'une course qui se rapproche. Diego écoute, jette de tous côtés des regards affolés et saisit tout d'un coup l'enfant.*

DIEGO

Regarde, homme de la loi ! Si tu fais un seul geste, j'écraserai la bouche de ton fils sur le signe de la peste.

### VICTORIA

Diego, ceci est lâche.

### DIEGO

Rien n'est lâche dans la cité des lâches.

### LA FEMME, *courant vers le juge.*

Promets, Casado! Promets à ce fou ce qu'il veut.

### LA FILLE DU JUGE

Non, père, n'en fais rien. Ceci ne nous regarde pas.

### LA FEMME

Ne l'écoute pas. Tu sais bien qu'elle hait son frère.

### LE JUGE

Elle a raison. Ceci ne nous regarde pas.

### LA FEMME

Et toi aussi, tu hais mon fils.

### LE JUGE

Ton fils, en effet.

### LA FEMME

Oh! Tu n'es pas un homme d'oser rappeler ceci qui avait été pardonné.

LE JUGE

Je n'ai pas pardonné. J'ai suivi la loi qui, aux
yeux de tous, me rendait père de cet enfant.

VICTORIA

Est-ce vrai, mère ?

LA FEMME

Toi aussi tu me méprises.

VICTORIA

Non. Mais tout croule en même temps. L'âme
chancelle.

*Le juge fait un pas vers la porte.*

DIEGO

L'âme chancelle, mais la loi nous soutient,
n'est-ce pas, juge ? Tous frères ! (*Il dresse l'enfant
devant lui.*) Et toi aussi, à qui je vais donner le bai-
ser des frères.

LA FEMME

Attends, Diego, je t'en supplie ! Ne sois pas
comme celui-ci qui s'est durci jusqu'au cœur.
Mais il se détendra. (*Elle court vers la porte et barre le
chemin au juge.*) Tu vas céder, n'est-ce pas ?

LA FILLE DU JUGE

Pourquoi céderait-il et que lui fait ce bâtard qui
prend ici toute la place !

### LA FEMME

Tais-toi, l'envie te ronge et te voilà toute noire. (*Au juge.*) Mais toi, toi qui approches de la mort, tu sais bien qu'il n'y a rien à envier sur cette terre, hors le sommeil et la paix. Tu sais bien que tu dormiras mal dans ton lit solitaire si tu laisses faire ceci.

### LE JUGE

J'ai la loi de mon côté. C'est elle qui fera mon repos.

### LA FEMME

Je crache sur ta loi. J'ai pour moi le droit, le droit de ceux qui aiment à ne pas être séparés, le droit des coupables à être pardonnés et des repentis à être honorés ! Oui, je crache sur ta loi. Avais-tu la loi de ton côté lorsque tu as fait de lâches excuses à ce capitaine qui te provoquait en duel, lorsque tu as triché pour échapper à la conscription ? Avais-tu la loi pour toi lorsque tu as proposé ton lit à cette jeune fille qui plaidait contre un maître indigne ?

### LE JUGE

Tais-toi, femme.

### VICTORIA

Mère !

### LA FEMME

Non, Victoria, je ne me tairai pas. Je me suis tue pendant toutes ces années. Je l'ai fait pour mon honneur et pour l'amour de Dieu. Mais l'honneur n'est plus. Et un seul des cheveux de cet enfant m'est plus précieux que le ciel lui-même. Je ne me tairai pas. Et je dirai au moins à celui-ci qu'il n'a jamais eu le droit de son côté, car le droit, tu entends Casado, est du côté de ceux qui souffrent, gémissent, espèrent. Il n'est pas, non, il ne peut pas être avec ceux qui calculent et qui entassent.

*Diego a lâché l'enfant.*

LA FILLE DU JUGE

Ce sont les droits de l'adultère.

LA FEMME, *criant.*

Je ne nie pas ma faute, je la crierai au monde entier. Mais je sais, dans ma misère, que la chair a ses fautes, alors que le cœur a ses crimes. Ce qu'on fait dans la chaleur de l'amour doit recevoir la pitié.

LA FILLE

Pitié pour les chiennes !

LA FEMME

Oui ! Car elles ont un ventre pour jouir et pour engendrer !

LE JUGE

Femme ! Ta plaidoirie n'est pas bonne ! Je dénoncerai cet homme qui a causé ce trouble ! Je le ferai avec un double contentement, puisque je le ferai au nom de la loi et de la haine.

VICTORIA

Malheur sur toi qui viens de dire la vérité. Tu n'as jamais jugé que selon la haine que tu décorais du nom de loi. Et même les meilleures lois ont pris mauvais goût dans ta bouche, c'était la bouche aigre de ceux qui n'ont jamais rien aimé. Ah! le dégoût m'étouffe! Allons, Diego, prends-nous tous dans tes bras et pourrissons ensemble. Mais laisse vivre celui-ci pour qui la vie est une punition.

DIEGO

Laisse-moi. J'ai honte de voir ce que nous sommes devenus.

VICTORIA

J'ai honte aussi. J'ai honte à mourir.

> *Diego s'élance brusquement par la fenêtre.*
> *Le juge court aussi. Victoria s'échappe par*
> *une porte dérobée.*

LA FEMME

Le temps est venu où il faut que les bubons crèvent. Nous ne sommes pas les seuls. Toute la ville a la même fièvre.

LE JUGE

Chienne!

LA FEMME

Juge!

> *Obscurité. Lumière sur la conciergerie.*
> *Nada et l'alcade se préparent à partir.*

NADA

Ordre est donné à tous les commandants de district de faire voter leurs administrés en faveur du nouveau gouvernement.

LE PREMIER ALCADE

Ce n'est pas facile. Quelques-uns risquent de voter contre !

NADA

Non, si vous suivez les bons principes.

LE PREMIER ALCADE

Les bons principes ?

NADA

Les bons principes disent que le vote est libre. C'est-à-dire que les votes favorables au gouvernement seront considérés comme ayant été librement exprimés. Quant aux autres, et afin d'éliminer les entraves secrètes qui auraient pu être apportées à la liberté du choix, ils seront décomptés suivant la méthode préférentielle, en alignant le panachage divisionnaire au quotient des suffrages non exprimés par rapport au tiers des votes éliminés. Cela est-il clair ?

LE PREMIER ALCADE

Clair, monsieur... Enfin, je crois comprendre.

NADA

Je vous admire, alcade. Mais que vous ayez compris ou non, n'oubliez pas que le résultat infaillible

de cette méthode devra toujours être de compter
pour nuls les votes hostiles au gouvernement.

LE PREMIER ALCADE

Mais vous avez dit que le vote était libre ?

NADA

Il l'est, en effet. Nous partons seulement du
principe, qu'un vote négatif n'est pas un vote
libre. C'est un vote sentimental et qui se trouve
par conséquent enchaîné par les passions.

LE PREMIER ALCADE

Je n'avais pas pensé à cela !

NADA

C'est que vous n'aviez pas une juste idée de ce
qu'est la liberté.

> *Lumière au centre. Diego et Victoria arri-*
> *vent, courant, sur le devant de la scène.*

DIEGO

Je veux fuir, Victoria. Je ne sais plus où est le
devoir. Je ne comprends pas.

VICTORIA

Ne me quitte pas. Le devoir est auprès de ceux
qu'on aime. Tiens ferme.

DIEGO

Mais je suis trop fier pour t'aimer sans m'estimer.

VICTORIA

Qui t'empêche de t'estimer ?

DIEGO

Toi, que je vois sans défaillance.

VICTORIA

Ah ! ne parle pas ainsi, pour l'amour de nous, ou je vais tomber devant toi et te montrer toute ma lâcheté. Car tu ne dis pas vrai. Je ne suis pas si forte. Je défaille, je défaille, quand je pense à ce temps où je pouvais m'abandonner à toi. Où est le temps où l'eau montait dans mon cœur dès que l'on prononçait ton nom ? Où est le temps où j'entendais une voix en moi crier « Terre » dès que tu apparaissais. Oui, je défaille, je meurs d'un lâche regret. Et si je tiens encore debout, c'est que l'élan de l'amour me jette en avant. Mais que tu disparaisses, que ma course s'arrête et je m'abattrai.

DIEGO

Ah ! Si du moins je pouvais me lier à toi et, mes membres noués aux tiens, couler au fond d'un sommeil sans fin !

VICTORIA

Je t'attends.

*Il avance lentement vers elle qui avance vers lui. Ils ne se quittent pas des yeux. Ils vont se rejoindre, quand surgit entre eux la secrétaire.*

LA SECRÉTAIRE

Que faites-vous?

VICTORIA, *criant.*

L'amour, bien sûr!

> *Bruit terrible dans le ciel.*

LA SECRÉTAIRE

Chut! Il y a des mots qu'il ne faut pas prononcer. Vous devriez savoir que ceci était défendu. Regardez.

> *Elle frappe Diego à l'aisselle et le marque pour la deuxième fois.*

LA SECRÉTAIRE

Vous étiez suspect. Vous voilà contaminé. (*Elle regarde Diego.*) Dommage. Un si joli garçon. (*À Victoria.*) Excusez-moi. Mais je préfère les hommes aux femmes, j'ai partie liée avec eux. Bonsoir.

> *Diego regarde avec horreur le nouveau signe sur lui. Il jette des regards fous autour de lui, puis s'élance vers Victoria et la saisit à plein corps.*

DIEGO

Ah! je hais ta beauté, puisqu'elle doit me survivre! Maudite qui servira à d'autres!

> *Il l'écrase contre lui.*

Là! Je ne serai pas seul! Que m'importe ton amour s'il ne pourrit pas avec moi?

VICTORIA, *se débattant.*

Tu me fais mal! Laisse-moi!

DIEGO

Ah! Tu as peur! (*Il rit comme un fou. Il la secoue.*) Où sont les chevaux noirs de l'amour? Amoureuse quand l'heure est belle, mais vienne le malheur et les chevaux détalent! Meurs du moins avec moi!

VICTORIA

Avec toi, mais jamais contre toi! Je déteste ce visage de peur et de haine qui t'est venu! Lâchemoi! Laisse-moi libre de chercher en toi l'ancienne tendresse. Et mon cœur parlera de nouveau.

DIEGO, *la lâchant à demi.*

Je ne veux pas mourir seul! Et ce que j'ai de plus cher au monde se détourne de moi et refuse de me suivre!

VICTORIA, *se jetant vers lui.*

Ah! Diego, dans l'enfer s'il le faut! Je te retrouve... Mes jambes tremblent contre les tiennes. Embrasse-moi pour étouffer ce cri qui monte du profond de mon corps, qui va sortir, qui sort... Ah!

> *Il l'embrasse avec emportement, puis il s'arrache d'elle et la laisse tremblante au milieu de la scène.*

### DIEGO

Regarde-moi! Non, non, tu n'as rien! Aucun signe! Cette folie n'aura pas de suite!

### VICTORIA

Reviens, c'est de froid que je tremble maintenant! Tout à l'heure, ta poitrine brûlait mes mains, mon sang courait en moi comme une flamme! Maintenant...

### DIEGO

Non! Laisse-moi seul. Je ne peux pas me distraire de cette douleur.

### VICTORIA

Reviens! Je ne demande rien d'autre que de me consumer de la même fièvre, de souffrir de la même plaie dans un seul cri!

### DIEGO

Non! Désormais, je suis avec les autres, avec ceux qui sont marqués! Leur souffrance me fait horreur, elle me remplit d'un dégoût qui jusqu'ici me retranchait de tout. Mais finalement, je suis dans le même malheur, ils ont besoin de moi.

### VICTORIA

Si tu devais mourir, j'envierais jusqu'à la terre qui épouserait ton corps!

### DIEGO

Tu es de l'autre côté, avec ceux qui vivent!

VICTORIA

Je puis être avec toi, si seulement tu m'embrasses longtemps !

DIEGO

Ils ont interdit l'amour ! Ah ! Je te regrette de toutes mes forces !

VICTORIA

Non ! Non ! Je t'en supplie ! J'ai compris ce qu'ils veulent. Ils arrangent toutes choses pour que l'amour soit impossible. Mais je serai la plus forte.

DIEGO

Je ne suis pas le plus fort. Et ce n'est pas une défaite que je voulais partager avec toi !

VICTORIA

Je suis entière ! Je ne connais que mon amour ! Rien ne me fait plus peur et quand le ciel croulerait, je m'abîmerais en criant mon bonheur si seulement je tenais ta main.

*On entend crier.*

DIEGO

Les autres crient aussi !

VICTORIA

Je suis sourde jusqu'à la mort !

DIEGO

Regarde !

*La charrette passe.*

VICTORIA

Mes yeux ne voient plus! L'amour les éblouit.

DIEGO

Mais la douleur est dans ce ciel qui pèse sur
nous!

VICTORIA

J'ai trop à faire pour porter mon amour! Je ne
vais pas encore me charger de la douleur du
monde! C'est une tâche d'homme, cela, une de
ces tâches, vaines, stériles, entêtées, que vous en-
treprenez pour vous détourner du seul combat
qui serait vraiment difficile, de la seule victoire
dont vous pourriez être fiers.

DIEGO

Qu'ai-je donc à vaincre en ce monde, sinon
l'injustice qui nous est faite.

VICTORIA

Le malheur qui est en toi! Et le reste suivra.

DIEGO

Je suis seul. Le malheur est trop grand pour moi.

VICTORIA

Je suis près de toi, les armes à la main!

DIEGO

Que tu es belle et que je t'aimerais si seulement
je ne craignais pas!

### VICTORIA

Que tu craindrais peu si seulement tu voulais m'aimer !

### DIEGO

Je t'aime. Mais je ne sais qui a raison.

### VICTORIA

Celui qui ne craint pas. Et mon cœur n'est pas craintif ! Il brûle d'une seule flamme, claire et haute, comme ces feux dont nos montagnards se saluent. Il t'appelle, lui aussi… Vois, c'est la Saint-Jean !

### DIEGO

Au milieu des charniers !

### VICTORIA

Charniers ou prairies, qu'est-ce que cela fait à mon amour ? Lui, du moins, ne nuit à personne, il est généreux ! Ta folie, ton dévouement stérile, à qui font-ils du bien ? Pas à moi, pas à moi, en tout cas, que tu poignardes à chaque mot !

### DIEGO

Ne pleure pas, farouche ! Ô désespoir ! Pourquoi ce mal est-il venu ? J'aurais bu ces larmes, et la bouche brûlée par leur amertume, j'aurais mis sur ton visage autant de baisers qu'un olivier a de feuilles !

Ah ! Je te retrouve ! C'est là notre langage que tu avais perdu ! (*Elle tend les mains.*) Laisse-moi te reconnaître…

> *Diego recule, montrant ses marques. Elle avance la main, hésite.*

DIEGO

Toi aussi, tu as peur…

> *Elle plaque sa main sur les marques. Il recule, égaré. Elle tend les bras.*

VICTORIA

Viens vite ! Ne crains plus rien !

> *Mais les gémissements et les imprécations redoublent. Lui regarde de tous côtés comme un insensé et s'enfuit.*

VICTORIA

Ah ! Solitude !

CHŒUR DES FEMMES

Nous sommes des gardiennes ! Cette histoire nous dépasse et nous attendons qu'elle soit finie. Nous garderons notre secret jusqu'à l'hiver, à l'heure des libertés, quand les hurlements des hommes se seront tus et qu'ils reviendront alors vers nous pour réclamer ce dont ils ne peuvent se passer : le souvenir des mers libres, le ciel désert de l'été, l'odeur éternelle de l'amour. Nous voici, en attendant, comme des feuilles mortes dans l'averse de septembre. Elles planent un moment,

puis le poids d'eau qu'elles transportent les plaque
sur la terre. Nous aussi sommes maintenant sur la
terre. Courbant le dos, attendant que s'essouf-
flent les cris de tous les combats, nous écoutons
au fond de nous gémir doucement le lent ressac
des mers heureuses. Quand les amandiers nus se
couvriront des fleurs du givre, alors nous nous
soulèverons un peu, sensibles au premier vent
d'espoir, bientôt redressées dans ce second printemps. Et ceux que nous aimons marcheront vers
nous et, à mesure qu'ils avanceront, nous serons
comme ces lourdes barques que le flot de la
marée soulève peu à peu, gluantes de sel et d'eau,
riches d'odeurs, jusqu'à ce qu'elles flottent enfin
sur la mer épaisse. Ah ! que le vent se lève, que le
vent se lève…

> *Obscurité.*
> *Lumière sur le quai. Diego entre et hèle*
> *quelqu'un qu'il aperçoit, très loin, dans la*
> *direction de la mer. Au fond, le chœur des*
> *hommes.*

DIEGO

Ohé ! Ohé !

UNE VOIX

Ohé ! Ohé !

> *Un batelier apparaît ; sa tête seule dépas-*
> *sant le quai.*

DIEGO

Que fais-tu ?

LE BATELIER

Je ravitaille.

DIEGO

La ville ?

LE BATELIER

Non, la ville est ravitaillée en principe par l'administration. En tickets naturellement. Moi, je ravitaille en pain et en lait. Il y a, au large, des navires à l'ancre et des familles s'y sont confinées pour échapper à l'infection. Je porte leurs lettres et je leur rapporte des provisions.

DIEGO

Mais c'est interdit.

LE BATELIER

C'est interdit par l'administration. Mais je ne sais pas lire et j'étais en mer quand les crieurs ont annoncé la nouvelle loi.

DIEGO

Emmène-moi.

LE BATELIER

Où ?

DIEGO

En mer. Sur les bateaux.

LE BATELIER

C'est que la chose est interdite.

DIEGO

Tu n'as lu ni entendu la loi.

LE BATELIER

Ah! Ce n'est pas interdit par l'administration,
mais par les gens du bateau. Vous n'êtes pas sûr.

DIEGO

Comment pas sûr?

LE BATELIER

Après tout, vous pourriez les apporter avec vous.

DIEGO

Apporter quoi?

LE BATELIER

Chut! (*Il regarde autour de lui.*) Les germes, bien
sûr! Vous pourriez leur apporter les germes.

DIEGO

Je paierai ce qu'il faut.

LE BATELIER

N'insistez pas. J'ai le caractère faible.

DIEGO

Tout l'argent qu'il faudra.

LE BATELIER

Vous le prenez sur votre conscience?

### DIEGO

Bon.

### LE BATELIER

Embarquez. La mer est belle.

> *Diego va sauter. Mais la secrétaire apparaît derrière lui.*

### LA SECRÉTAIRE

Non ! Vous n'embarquerez pas.

### DIEGO

Quoi ?

### LA SECRÉTAIRE

Ce n'est pas prévu. Et puis, je vous connais, vous ne déserterez pas.

### DIEGO

Rien ne m'empêchera de partir.

### LA SECRÉTAIRE

Il suffit que je le veuille. Et je le veux, puisque j'ai affaire avec vous. Vous savez qui je suis !

> *Elle recule un peu comme pour l'attirer en arrière. Il la suit.*

### DIEGO

Mourir n'est rien. Mais mourir souillé…

LA SECRÉTAIRE

Je comprends. Voyez-vous, je suis une simple exécutante. Mais, du même coup, on m'a donné des droits sur vous. Le droit de veto, si vous préférez.

*Elle feuillette son carnet.*

DIEGO

Les hommes de mon sang n'appartiennent qu'à la terre !

LA SECRÉTAIRE

C'est ce que je voulais dire. Vous êtes à moi, d'une certaine manière ! D'une certaine manière seulement. Peut-être pas de celle que je préférerais… quand je vous regarde. (*Simple.*) Vous me plaisez bien, vous savez. Mais j'ai des ordres.

*Elle joue avec son carnet.*

DIEGO

Je préfère votre haine à vos sourires. Je vous méprise.

LA SECRÉTAIRE

Comme vous voudrez. D'ailleurs, ce n'est pas très réglementaire cette conversation que j'ai avec vous. La fatigue me rend sentimentale. Avec toute cette comptabilité, des soirs comme ce soir, je me laisse aller.

*Elle fait tourner le carnet dans ses doigts. Diego tente de le lui arracher.*

LA SECRÉTAIRE

Non, vraiment, n'insistez pas, mon chéri. Qu'y verriez-vous d'ailleurs ? C'est un carnet, cela doit suffire, un classeur, moitié agenda, moitié fichier. Avec les éphémérides. (*Elle rit.*) C'est mon pense-bête, quoi !

> Elle tend vers lui une main, comme pour une caresse.
> Diego se rejette vers le batelier.

DIEGO

Ah ! Il est parti !

LA SECRÉTAIRE

Tiens, c'est vrai ! Encore un qui se croit libre et qui est inscrit, pourtant, comme tout le monde.

DIEGO

Votre langue est double. Vous savez bien que c'est cela qu'un homme ne peut supporter. Finissons-en, voulez-vous.

LA SECRÉTAIRE

Mais tout cela est très simple et je dis la vérité. Chaque ville a son classeur. Voici celui de Cadix. Je vous assure que l'organisation est très bonne et que personne n'est oublié.

DIEGO

Personne n'est oublié, mais tous vous échappent.

LA SECRÉTAIRE, *indignée.*

Mais non, voyons! (*Elle réfléchit.*) Pourtant, il y a des exceptions. De loin en loin, on en oublie un. Mais ils finissent toujours par se trahir. Dès qu'ils ont dépassé cent ans d'âge, ils s'en vantent, les imbéciles. Alors, les journaux l'annoncent. Il suffit d'attendre. Le matin quand je dépouille la presse, je note leurs noms, je les collationne, comme nous disons. On ne les rate pas, bien entendu.

DIEGO

Mais pendant cent ans ils vous auront nié, comme cette ville entière vous nie!

LA SECRÉTAIRE

Cent ans ne sont rien! Ça vous fait de l'impression parce que vous voyez les choses de trop près. Moi, je vois les ensembles, vous comprenez. Dans un fichier de trois cent soixante-douze mille noms, qu'est-ce qu'un homme, je vous le demande un peu, même s'il est centenaire! Et puis nous nous rattrapons sur ceux qui n'ont pas dépassé vingt ans. Cela fait une moyenne. On raye un peu plus vite, voilà tout! Ainsi...

> *Elle raye dans son carnet. Un cri sur la mer et le bruit d'une chute à l'eau.*

LA SECRÉTAIRE

Oh! Je l'ai fait sans y penser! Tiens, c'est le batelier! Un hasard!

> *Diego s'est levé et la regarde avec dégoût et effroi.*

### DIEGO

Le cœur me vient à la bouche tant vous me répugnez !

### LA SECRÉTAIRE

Je fais un métier ingrat, je le sais. On s'y fatigue et puis il faut s'appliquer. Au début, par exemple, je tâtonnais un peu. Maintenant, j'ai la main sûre.

*Elle s'approche de Diego.*

### DIEGO

Ne m'approchez pas.

### LA SECRÉTAIRE

Il n'y aura bientôt plus d'erreurs. Un secret. Une machine perfectionnée. Vous verrez.

*Elle s'est approchée de lui, phrase après phrase, jusqu'à le toucher. Il la prend soudain au collet, tremblant de fureur.*

### DIEGO

Finissez, finissez donc votre sale comédie ! Qu'est-ce que vous attendez ? Faites votre travail et ne vous amusez pas de moi qui suis plus grand que vous. Tuez-moi donc, c'est la seule façon, je vous le jure, de sauver ce beau système qui ne laisse rien au hasard. Ah ! Vous ne tenez compte que des ensembles ! Cent mille hommes, voilà qui devient intéressant. C'est une statistique et les statistiques sont muettes ! On en fait des courbes et des graphiques, hein ! On travaille sur les générations, c'est plus facile ! Et le travail peut se faire dans le silence et dans l'odeur tranquille de l'encre. Mais je vous en préviens, un homme seul, c'est plus gênant, ça crie sa joie ou son agonie. Et moi vivant, je continuerai à déranger votre bel ordre par le hasard des cris. Je vous refuse, je vous refuse de tout mon être !

LA SECRÉTAIRE

Mon chéri !

DIEGO

Taisez-vous ! Je suis d'une race qui honorait la mort autant que la vie. Mais vos maîtres sont venus : vivre et mourir sont deux déshonneurs...

LA SECRÉTAIRE

Il est vrai...

DIEGO *(il la secoue.)*

Il est vrai que vous mentez et que vous mentirez désormais, jusqu'à la fin des temps ! Oui ! J'ai bien compris votre système. Vous leur avez donné la douleur de la faim et des séparations pour les distraire de leur révolte. Vous les épuisez, vous dévorez leur temps et leurs forces pour qu'ils n'aient ni le loisir ni l'élan de la fureur ! Ils piétinent, soyez contents ! Ils sont seuls malgré leur masse, comme je suis seul aussi. Chacun de nous est seul à cause de la lâcheté des autres. Mais moi qui suis asservi comme eux, humilié avec eux, je vous annonce pourtant que vous n'êtes rien et que cette puissance déployée à perte de vue, jusqu'à en obscurcir le ciel, n'est qu'une ombre jetée sur la terre, et qu'en une seconde un vent furieux va dissiper. Vous avez cru que tout pouvait se mettre en chiffres et en formules ! Mais dans votre belle nomenclature, vous avez oublié la rose sauvage, les signes dans le ciel, les visages d'été, la grande voix de la mer, les instants du déchirement et la colère des hommes ! (*Elle rit.*) Ne riez pas. Ne riez pas, imbécile. Vous êtes perdus, je vous le dis. Au sein de vos plus apparentes victoires, vous voilà déjà vaincus, parce qu'il y a dans l'homme — regardez-moi — une force que vous ne réduirez pas, une folie claire, mêlée de peur et de courage, ignorante et victorieuse à tout jamais. C'est cette force qui va se lever et vous saurez alors que votre gloire était fumée.

*Elle rit.*

DIEGO

Ne riez pas ! Ne riez donc pas !

> *Elle rit. Il la gifle et dans le même temps,
> les hommes du chœur arrachent leurs
> bâillons et poussent un long cri de joie.
> Mais dans l'élan, Diego a écrasé sa marque.
> Il y porte la main et la contemple ensuite.*

LA SECRÉTAIRE

Magnifique !

DIEGO

Qu'est-ce que c'est ?

LA SECRÉTAIRE

Vous êtes magnifique dans la colère ! Vous me plaisez encore plus.

DIEGO

Que s'est-il passé ?

LA SECRÉTAIRE

Vous le voyez. La marque disparaît. Continuez, vous êtes sur la bonne voie.

DIEGO

Je suis guéri ?

LA SECRÉTAIRE

Je vais vous dire un petit secret… Leur système est excellent, vous avez bien raison, mais il y a une malfaçon dans leur machine.

DIEGO

Je ne comprends pas.

LA SECRÉTAIRE

Il y a une malfaçon, mon chéri. Du plus loin que je me souvienne, il a toujours suffi qu'un homme surmonte sa peur et se révolte pour que leur machine commence à grincer. Je ne dis pas qu'elle s'arrête, il s'en faut. Mais enfin, elle grince et, quelquefois, elle finit vraiment par se gripper.

*Silence.*

DIEGO

Pourquoi me dites-vous cela?

LA SECRÉTAIRE

Vous savez, on a beau faire ce que je fais, on a ses faiblesses. Et puis vous l'avez trouvé tout seul.

DIEGO

M'auriez-vous épargné, si je ne vous avais frappée?

LA SECRÉTAIRE

Non. J'étais venue pour vous achever, selon le règlement.

DIEGO

Je suis donc le plus fort.

LA SECRÉTAIRE

Avez-vous encore peur?

DIEGO

Non.

LA SECRÉTAIRE

Alors, je ne puis rien contre vous. Cela aussi est dans le règlement. Mais je peux bien vous le dire, c'est la première fois que ce règlement a mon approbation.

> *Elle se retire doucement. Diego se tâte, regarde encore sa main et se tourne brusquement dans la direction des gémisse-*

*ments, qu'on entend. Il va, au milieu du silence, vers un malade bâillonné. Scène muette. Diego avance la main vers le bâillon et le dénoue. C'est le pêcheur. Ils se regardent en silence, puis :*

LE PÊCHEUR, *avec effort.*

Bonsoir, frère. Voilà bien longtemps que je n'avais parlé.

*Diego lui sourit.*

LE PÊCHEUR, *levant les yeux au ciel.*

Qu'est cela ?

*Le ciel s'est éclairé, en effet. Un léger vent s'est levé qui secoue une des portes et fait flotter quelques étoffes. Le peuple les entoure maintenant, le bâillon dénoué, les yeux levés au ciel.*

DIEGO

Le vent de la mer…

RIDEAU

# TROISIÈME PARTIE

*Les habitants de Cadix s'activent sur la place. Planté un peu au-dessus d'eux, Diego dirige les travaux. Lumière éclatante qui fait paraître les décors de la Peste moins impressionnants parce que plus construits.*

DIEGO

Effacez les étoiles !

*On efface.*

DIEGO

Ouvrez les fenêtres !

*Les fenêtres s'ouvrent.*

DIEGO

De l'air ! De l'air ! Groupez les malades !

*Mouvements.*

DIEGO

N'ayez plus peur, c'est la condition. Debout tous ceux qui le peuvent ! Pourquoi reculez-vous ?

Relevez le front, voici l'heure de la fierté ! Jetez
votre bâillon et criez avec moi que vous n'avez
plus peur.

*Il lève les bras.*

Ô sainte révolte, refus vivant, honneur du peuple,
donne à ces bâillonnés la force de ton cri !

### LE CHŒUR

Frère, nous t'écoutons et nous les misérables qui
vivons d'olives et de pain, pour qui une mule est
une fortune, nous qui touchons au vin deux fois
l'an, au jour de la naissance et au jour du mariage,
nous commençons à espérer ! Mais la vieille
crainte n'a pas encore quitté nos cœurs. L'olive et
le pain donnent du goût à la vie ! Si peu que nous
ayons, nous avons peur de tout perdre avec la vie !

### DIEGO

Vous perdrez l'olive, le pain et la vie si vous laissez les choses aller comme elles sont ! Aujour-
d'hui il vous faut vaincre la peur si vous voulez
seulement garder le pain. Réveille-toi, Espagne !

### LE CHŒUR

Nous sommes pauvres et ignorants. Mais on
nous a dit que la peste suit les chemins de l'année. Elle a son printemps où elle germe et jaillit,
son été où elle fructifie. Vienne l'hiver et la voilà
peut-être qui meurt. Mais est-ce l'hiver, frère, est-
ce bien l'hiver ? Ce vent qui s'est levé vient-il vraiment de la mer ? Nous avons toujours tout payé

en monnaie de misère. Faut-il vraiment payer avec la monnaie de notre sang ?

### CHŒUR DES FEMMES

Encore une affaire d'hommes ! Nous, nous sommes là pour vous rappeler l'instant qui s'abandonne, l'œillet des jours, la laine noire des brebis, l'odeur d'Espagne enfin ! Nous sommes faibles, nous ne pouvons rien contre vous avec vos gros os. Mais quoi que vous fassiez, n'oubliez pas nos fleurs de chair dans votre mêlée d'ombres !

### DIEGO

C'est la peste qui nous décharne, c'est elle qui sépare les amants et qui flétrit la fleur des jours ! C'est contre elle qu'il faut d'abord lutter !

### LE CHŒUR

Est-ce vraiment l'hiver ? Dans nos forêts, les chênes sont toujours couverts de petits glands bien cirés et leur tronc ruisselle de guêpes ! Non ! Ce n'est pas encore l'hiver !

### DIEGO

Traversez l'hiver de la colère !

### LE CHŒUR

Mais trouverons-nous l'espoir au bout de notre chemin ? Ou faudra-t-il mourir désespérés ?

### DIEGO

Qui parle de désespérer ? Le désespoir est un bâillon. Et c'est le tonnerre de l'espoir, la fulguration du bonheur qui déchirent le silence de cette ville assiégée. Debout, vous dis-je ! Si vous voulez garder le pain et l'espoir, détruisez vos certificats, crevez les vitres des bureaux, quittez les files de la peur, criez la liberté aux quatre coins du ciel !

LE CHŒUR

Nous sommes les plus misérables ! L'espoir est notre seule richesse, comment nous en priverions-nous ? Frère, nous jetons tous ces bâillons ! (*Grand cri de délivrance.*) Ah ! sur la terre sèche, dans les crevasses de la chaleur, voici la première pluie ! Voici l'automne où tout reverdit, le vent frais de la mer. L'espoir nous soulève comme une vague.

> *Diego sort.*
> *Entre la Peste au même niveau que Diego mais de l'autre côté. La secrétaire et Nada le suivent.*

LA SECRÉTAIRE

Qu'est-ce que c'est que cette histoire ? On bavarde maintenant ? Voulez-vous bien remettre vos bâillons !

> *Quelques-uns, au milieu, remettent leur bâillon. Mais des hommes ont rejoint Diego. Ils s'activent, dans l'ordre.*

LA PESTE

Ils commencent à bouger.

LA SECRÉTAIRE

Oui, comme d'habitude !

LA PESTE

Eh bien ! Il faut aggraver les mesures !

LA SECRÉTAIRE

Aggravons donc !

*Elle ouvre son carnet qu'elle feuillette avec un peu de lassitude.*

NADA

Et allez donc ! Nous sommes sur la bonne voie ! Être réglementaire ou ne pas être réglementaire, voilà toute la morale et toute la philosophie ! Mais à mon avis, Votre Honneur, nous n'allons pas assez loin.

LA PESTE

Tu parles trop.

NADA

C'est que j'ai de l'enthousiasme. Et j'ai appris beaucoup de choses auprès de vous. La suppression, voilà mon évangile. Mais jusqu'ici je n'avais pas de bonnes raisons. Maintenant, j'ai la raison réglementaire !

LA PESTE

Le règlement ne supprime pas tout. Tu n'es pas dans la ligne, attention !

NADA

Remarquez qu'il y avait des règlements avant vous. Mais il restait à inventer le règlement général, le solde de tout compte, l'espèce humaine mise à l'index, la vie entière remplacée par une table des matières, l'univers mis en disponibilité, le ciel et la terre enfin dévalués…

LA PESTE

Retourne à ton travail, ivrogne. Et vous, allez-y !

LA SECRÉTAIRE

Par quoi commençons-nous ?

LA PESTE

Par le hasard. C'est plus frappant.

> *La secrétaire raye deux noms. Coups mats d'avertissement. Deux hommes tombent. Reflux. Ceux qui travaillent s'arrêtent médusés. Les gardes de la Peste se précipitent, remettent des croix sur les portes, ferment les fenêtres, mêlent les cadavres, etc.*

DIEGO, *au fond, d'une voix tranquille.*

Vive la mort, elle ne nous fait pas peur !

> *Flux. Les hommes se remettent au travail. Les gardes reculent. Même pantomime, mais inverse. Le vent souffle lorsque le peuple avance, reflue lorsque les gardes reviennent.*

LA PESTE

Rayez celui-ci !

LA SECRÉTAIRE

Impossible !

LA PESTE

Pourquoi ?

LA SECRÉTAIRE

Il n'a plus peur !

LA PESTE

Allons, bon ! Sait-il ?

LA SECRÉTAIRE

Il a des soupçons.

> *Elle raye. Coups sourds. Reflux. Même scène.*

NADA

Magnifique ! Ils meurent comme des mouches !
Ah ! Si la terre pouvait sauter !

DIEGO, *avec calme.*

Secourez tous ceux qui tombent.

> *Reflux. Même pantomime inversée.*

LA PESTE

Celui-là va trop loin !

LA SECRÉTAIRE

Il va loin, en effet.

LA PESTE

Pourquoi dites-vous cela avec mélancolie ? Vous ne l'avez pas renseigné au moins ?

LA SECRÉTAIRE

Non. Il a dû trouver ça tout seul. Il a le don, en somme !

LA PESTE

Il a le don, mais j'ai des moyens. Il faut essayer autre chose. À votre tour.

*Il sort.*

LE CHŒUR, *quittant le bâillon.*

Ah ! (*Soupir de soulagement.*) C'est le premier recul, le garrot se desserre, le ciel se détend et s'aère. Voici revenu le bruit des sources que le soleil noir de la peste avait évaporées. L'été s'en va. Nous n'aurons plus les raisins de la treille, ni les melons, les fèves vertes et la salade crue. Mais l'eau de l'espoir attendrit le sol dur et nous promet le refuge de l'hiver, les châtaignes brûlées, le premier maïs aux grains encore verts, la noix au goût de savon, le lait devant le feu…

LES FEMMES

Nous sommes ignorantes. Mais nous disons que ces richesses ne doivent pas être payées trop cher. Dans tous les lieux du monde et sous n'importe quel maître, il y aura toujours un fruit frais à portée de la main, le vin du pauvre, le feu de sarments près duquel on attend que tout passe…

> *De la maison du juge sort par la fenêtre la fille du juge qui court se cacher parmi les femmes.*

LA SECRÉTAIRE, *descendant vers le peuple.*

On se croirait en révolution, ma parole ! Ce n'est pas le cas pourtant, vous le savez bien. Et puis, ce n'est plus au peuple à faire la révolution, voyons, ce serait tout à fait démodé. Les révolutions n'ont plus besoin d'insurgés[1]. La police aujourd'hui suffit à tout, même à renverser le gouvernement. Cela ne vaut-il pas mieux, après tout ? Le peuple peut ainsi se reposer pendant que quelques bons esprits pensent pour lui et décident à sa place de la quantité de bonheur qui lui sera favorable.

LE PÊCHEUR

Je m'en vais éventrer sur l'heure cette murène vicieuse.

LA SECRÉTAIRE

Voyons, mes bons amis, ne vaudrait-il pas mieux en rester là ! Quand un ordre est établi, ça coûte toujours plus cher de le changer. Et si même cet ordre vous paraît insupportable, peut-être pourrait-on obtenir quelques accommodements.

UNE FEMME

Quels accommodements ?

LA SECRÉTAIRE

Je ne sais pas, moi ! Mais, vous autres femmes, n'ignorez pas que tout bouleversement se paye et qu'une bonne conciliation vaut parfois mieux qu'une victoire ruineuse ?

> *Les femmes approchent. Quelques hommes se détachent du groupe de Diego.*

DIEGO

N'écoutez pas ce qu'elle dit. Tout cela est convenu.

LA SECRÉTAIRE

Qu'est-ce qui est convenu ? Je parle raison et ne sais rien de plus.

UN HOMME

De quels arrangements parliez-vous ?

LA SECRÉTAIRE

Naturellement, il faudrait réfléchir. Mais, par exemple, nous pourrions constituer avec vous un comité qui déciderait, à la majorité des voix, des radiations à prononcer. Ce comité détiendrait en pleine propriété ce cahier où se font les radiations. Notez bien que je dis cela à titre d'exemple…

> *Elle secoue le cahier à bout de bras. Un homme le lui arrache.*

LA SECRÉTAIRE, *faussement indignée.*

Voulez-vous me rendre ce cahier ! Vous savez bien qu'il est précieux et qu'il suffit d'y rayer le nom d'un de vos concitoyens pour que celui-ci meure aussitôt.

> *Hommes et femmes entourent le posses-*
> *seur du cahier. Animation.*

— Nous le tenons !
— Plus de morts !
— Nous sommes sauvés !

> *Mais la fille du juge survient qui arrache*
> *brutalement le cahier, se sauve dans un coin*
> *et, feuilletant rapidement le carnet, y raye*
> *quelque chose. Dans la maison du juge un*
> *grand cri et la chute d'un corps. Des hommes*
> *et des femmes se précipitent vers la fille.*

UNE VOIX

Ah ! Maudite ! C'est toi qu'il faut supprimer !

> *Une main lui arrache le cahier et, tous*
> *feuilletant, on trouve son nom qu'une main*
> *raye. La fille tombe sans un cri.*

NADA, *hurlant.*

En avant, tous unis pour la suppression ! Il ne s'agit plus de supprimer, il s'agit de se supprimer ! Nous voilà tous ensemble, opprimés et oppresseurs, la main dans la main ! Allez ! taureau ! C'est le nettoyage général !

> *Il s'en va.*

UN HOMME, *énorme et qui tient le cahier.*

C'est vrai qu'il y a quelques nettoyages à faire ! Et l'occasion est trop belle de ratatiner quelques fils de garce qui se sont sucrés pendant que nous crevions de faim !

> *La Peste qui vient de réapparaître éclate d'un rire prodigieux, pendant que la secrétaire regagne modestement sa place, à ses côtés. Tout le monde, immobile, les yeux levés, attend sur le plateau pendant que les gardes de la Peste se répandent partout pour rétablir le décor et les signes de la Peste.*

LA PESTE, *à Diego.*

Et voilà ! Ils font eux-mêmes le travail ! Crois-tu qu'ils vaillent la peine que tu prends ?

> *Mais Diego et le pêcheur ont sauté sur le plateau, se sont précipités sur l'homme au cahier qu'ils giflent et précipitent à terre. Diego prend le cahier qu'il déchire.*

LA SECRÉTAIRE

Inutile. J'en ai un double.

> *Diego repousse les hommes de l'autre côté.*

DIEGO

Vite, au travail ! Vous avez été joués !

LA PESTE

Quand ils ont peur, c'est pour eux-mêmes. Mais leur haine est pour les autres.

DIEGO, *revenu en face de lui.*

Ni peur ni haine, c'est là notre victoire !

*Reflux progressif des gardes devant les hommes de Diego.*

LA PESTE

Silence ! Je suis celui qui aigrit le vin et qui dessèche les fruits. Je tue le sarment s'il veut donner des raisins, je le verdis s'il doit nourrir du feu. J'ai horreur de vos joies simples. J'ai horreur de ce pays où l'on prétend être libre sans être riche. J'ai les prisons, les bourreaux, la force, le sang ! La ville sera rasée et, sur ses décombres, l'histoire agonisera enfin dans le beau silence des sociétés parfaites. Silence donc ou j'écrase tout.

*Lutte mimée au milieu d'un effroyable fracas, grincements du garrot, bourdonnement, coups de la radiation, marée des slogans. Mais à mesure que la lutte se dessine à l'avantage des hommes de Diego, le tumulte s'apaise et le chœur, quoique indistinct, submerge les bruits de la Peste.*

LA PESTE, *avec un geste de rage.*

Il reste les otages !

*Il fait un signe. Les gardes de la Peste quittent la scène pendant que les autres se regroupent.*

NADA, *sur le haut du palais.*

Il reste toujours quelque chose. Tout continue à ne pas continuer. Et mes bureaux continuent aussi. La ville croulerait, le ciel éclaterait, les hommes déserteraient la terre que les bureaux

s'ouvriraient encore à heure fixe pour adminis-
trer le néant ! L'éternité, c'est moi, mon paradis a
ses archives et ses tampons-buvards.

*Il sort.*

### LE CHŒUR

Ils fuient. L'été s'achève en victoire. Il arrive
donc que l'homme triomphe ! Et la victoire alors
a le corps de nos femmes sous la pluie de l'amour.
Voici la chair heureuse, luisante et chaude,
grappe de septembre où le frelon grésille. Sur
l'aire du ventre s'abattent les moissons de la
vigne. Les vendanges flambent au sommet des
seins ivres. Ô mon amour, le désir crève comme
un fruit mûr, la gloire des corps ruisselle enfin.
Dans tous les coins du ciel des mains mystérieuses
tendent leurs fleurs et un vin jaune coule d'iné-
puisables fontaines. Ce sont les fêtes de la victoire, allons chercher nos femmes !

> *On amène dans le silence une civière où
> est étendue Victoria.*

### DIEGO, *se précipitant.*

Oh ! Ceci donne envie de tuer ou de mourir !
(*Il arrive près du corps qui semble inanimé.*) Ah !
Magnifique, victorieuse, sauvage comme l'amour,
tourne un peu vers moi ton visage ! Reviens, Victoria ! Ne te laisse pas aller de cet autre côté du
monde où je ne puis te rejoindre ! Ne me quitte
pas, la terre est froide. Mon amour, mon amour !
Tiens ferme, tiens-toi ferme à ce rebord de terre
où nous sommes encore ! Ne te laisse pas couler !

Si tu meurs, pendant tous les jours qui me restent à vivre, il fera noir en plein midi !

### LE CHŒUR DES FEMMES

Maintenant, nous sommes dans la vérité. Jusqu'à présent ce n'était pas sérieux. Mais à cette heure il s'agit d'un corps qui souffre et se tord. Tant de cris, le plus beau des langages, vive la mort et puis la mort elle-même déchire la gorge de celle qu'on aime ! Alors revient l'amour quand justement il n'est plus temps.

*Victoria gémit.*

### DIEGO

Il est temps, elle va se redresser. Tu vas me faire face à nouveau, droite comme une torche, avec les flammes noires de tes cheveux et ce visage étincelant d'amour dont j'emportais l'éblouissement dans la nuit du combat. Car, je t'y emportais, mon cœur suffisait à tout.

### VICTORIA

Tu m'oublieras, Diego, cela est sûr. Ton cœur ne suffira pas à l'absence. Il n'a pas suffi au malheur. Ah ! C'est un affreux tourment de mourir en sachant qu'on sera oubliée.

*Elle se détourne.*

### DIEGO

Je ne t'oublierai pas. Ma mémoire sera plus longue que ma vie.

LE CHŒUR DES FEMMES

Ô corps souffrant, jadis si désirable, beauté royale, reflet du jour ! L'homme crie vers l'impossible, la femme souffre tout ce qui est possible. Penche-toi, Diego ! Crie ta peine, accuse-toi, c'est l'instant du repentir ! Déserteur ! Ce corps était ta patrie sans laquelle tu n'es plus rien ! Ta mémoire ne rachètera rien !

> *La Peste est arrivée doucement près de Diego. Seul le corps de Victoria les sépare.*

LA PESTE

Alors, on renonce ?

> *Diego regarde le corps de Victoria avec désespoir.*

Tu n'as pas de force ! Tes yeux sont égarés. Moi, j'ai l'œil fixe de la puissance.

DIEGO, *après un silence.*

Laisse-la vivre et tue-moi.

LA PESTE

Quoi ?

DIEGO

Je te propose l'échange.

LA PESTE

Quel échange ?

DIEGO

Je veux mourir à sa place.

LA PESTE

C'est une de ces idées qu'on a lorsqu'on est fatigué. Allons, ce n'est pas agréable de mourir et le plus gros est fait pour elle. Restons-en là !

DIEGO

C'est une idée qu'on a lorsqu'on est le plus fort !

LA PESTE

Regarde-moi, je suis la force elle-même !

DIEGO

Quitte ton uniforme.

LA PESTE

Tu es fou !

DIEGO

Déshabille-toi ! Quand les hommes de la force quittent leur uniforme, ils ne sont pas beaux à voir !

LA PESTE

Peut-être. Mais leur force est d'avoir inventé l'uniforme !

DIEGO

La mienne est de le refuser. Je maintiens mon marché.

LA PESTE

Réfléchis au moins. La vie a du bon.

### DIEGO

Ma vie n'est rien. Ce qui compte, ce sont les raisons de ma vie. Je ne suis pas un chien.

### LA PESTE

La première cigarette, ce n'est donc rien? L'odeur de poussière à midi sur les remblais, les pluies du soir, la femme encore inconnue, le deuxième verre de vin, ce n'est donc rien?

### DIEGO

C'est quelque chose, mais celle-ci vivra mieux que moi!

### LA PESTE

Non, si tu renonces à t'occuper des autres.

### DIEGO

Sur le chemin où je suis, on ne peut s'arrêter même si on le désire. Je ne t'épargnerai pas!

### LA PESTE, *changeant de ton.*

Écoute. Si tu m'offres ta vie en échange de celle-ci, je suis obligé de l'accepter et cette femme vivra. Mais je te propose un autre marché. Je te donne la vie de cette femme et je vous laisse fuir tous les deux, pourvu que vous me laissiez m'arranger avec cette ville.

### DIEGO

Non. Je connais mes pouvoirs.

### LA PESTE

Dans ce cas, je serai franc avec toi. Il me faut être le maître de tout ou je ne le suis de rien. Si tu m'échappes, la ville m'échappe. C'est la règle. Une vieille règle dont je ne sais d'où elle vient.

### DIEGO

Je le sais, moi ! Elle vient du creux des âges, elle est plus grande que toi, plus haute que tes gibets, c'est la règle de nature. Nous avons vaincu.

### LA PESTE

Pas encore ! J'ai là ce corps, mon otage. Et l'otage est mon dernier atout. Regarde-le. Si une femme a le visage de la vie, c'est celle-ci. Elle mérite de vivre et tu veux la faire vivre. Moi, je suis contraint de te la rendre. Mais ce peut être ou contre ta propre vie ou contre la liberté de cette ville. Choisis.

> *Diego regarde Victoria. Au fond, murmures des voix bâillonnées. Diego se tourne vers le chœur.*

### DIEGO

C'est dur de mourir.

### LA PESTE

C'est dur.

### DIEGO

Mais c'est dur pour tout le monde.

LA PESTE

Imbécile! Dix ans de l'amour de cette femme valent autrement qu'un siècle de la liberté de ces hommes.

DIEGO

L'amour de cette femme, c'est mon royaume à moi. Je puis en faire ce que je veux. Mais la liberté de ces hommes leur appartient. Je ne puis en disposer.

LA PESTE

On ne peut pas être heureux sans faire du mal aux autres. C'est la justice de cette terre.

DIEGO

Je ne suis pas né pour consentir à cette justice-là.

LA PESTE

Qui te demande de consentir! L'ordre du monde ne changera pas au gré de tes désirs! Si tu veux le changer, laisse tes rêves et tiens compte de ce qui est.

DIEGO

Non. Je connais la recette. Il faut tuer pour supprimer le meurtre, violenter pour guérir l'injustice. Il y a des siècles que cela dure! Il y a des siècles que les seigneurs de ta race pourrissent la plaie du monde sous prétexte de la guérir, et continuent cependant de vanter leur recette, puisque personne ne leur rit au nez!

LA PESTE

Personne ne rit puisque je réalise. Je suis efficace.

DIEGO

Efficace, bien sûr ! Et pratique. Comme la hache !

LA PESTE

Il suffit au moins de regarder les hommes. On sait alors que toute justice est assez bonne pour eux.

DIEGO

Depuis que les portes de cette ville se sont fermées, j'ai eu tout le temps de les regarder.

LA PESTE

Alors tu sais maintenant qu'ils te laisseront toujours seul. Et l'homme seul doit périr.

DIEGO

Non, cela est faux ! Si j'étais seul, tout serait facile. Mais de gré ou de force, ils sont avec moi.

LA PESTE

Beau troupeau, en vérité, mais qui sent fort !

DIEGO

Je sais qu'ils ne sont pas purs. Moi non plus. Et puis je suis né parmi eux. Je vis pour ma cité et pour mon temps.

### LA PESTE

Le temps des esclaves !

### DIEGO

Le temps des hommes libres !

### LA PESTE

Tu m'étonnes. J'ai beau chercher. Où sont-ils ?

### DIEGO

Dans tes bagnes et dans tes charniers. Les esclaves sont sur les trônes.

### LA PESTE

Mets à tes hommes libres l'habit de ma police et tu verras ce qu'ils deviennent.

### DIEGO

Il est vrai qu'il leur arrive d'être lâches et cruels. C'est pourquoi ils n'ont pas plus que toi le droit à la puissance. Aucun homme n'a assez de vertu pour qu'on puisse lui consentir le pouvoir absolu. Mais c'est pourquoi aussi ces hommes ont droit à la compassion qui te sera refusée.

### LA PESTE

La lâcheté, c'est de vivre comme ils le font, petits, besogneux, toujours à mi-hauteur.

### DIEGO

C'est à mi-hauteur que je tiens à eux. Et si je ne suis pas fidèle à la pauvre vérité que je partage avec eux, comment le serais-je à ce que j'ai de plus grand et de plus solitaire ?

### LA PESTE

La seule fidélité que je connaisse, c'est le mépris. (*Il montre le chœur affaissé dans la cour.*) Regarde, il y a de quoi !

### DIEGO

Je ne méprise que les bourreaux[1]. Quoi que tu fasses, ces hommes seront plus grands que toi. S'il leur arrive une fois de tuer, c'est dans la folie d'une heure. Toi, tu massacres selon la loi et la logique. Ne raille pas leur tête baissée, car voici des siècles que les comètes de la peur passent au-dessus d'eux. Ne ris pas de leur air de crainte, voici des siècles qu'ils meurent et que leur amour est déchiré. Le plus grand de leurs crimes aura toujours une excuse. Mais je ne trouve pas d'excuses au crime que de tous temps l'on a commis contre eux et que pour finir tu as eu l'idée de codifier dans le sale ordre qui est le tien. (*La Peste avance vers lui.*) Je ne baisserai pas les yeux !

### LA PESTE

Tu ne les baisseras pas, c'est visible ! Alors, j'aime mieux te dire que tu viens de triompher de la dernière épreuve. Si tu m'avais laissé cette ville, tu aurais perdu cette femme et tu te serais perdu avec elle. En attendant, cette ville a toutes les chances d'être libre. Tu vois, il suffit d'un insensé comme toi… L'insensé meurt évidemment. Mais à la fin, tôt ou tard, le reste est sauvé ! (*Sombre.*) Et le reste ne mérite pas d'être sauvé.

#### DIEGO

L'insensé meurt…

#### LA PESTE

Ah! Ça ne va plus? Mais non, c'est classique : la seconde d'hésitation! L'orgueil sera le plus fort.

#### DIEGO

J'avais soif d'honneur. Et je ne retrouverai l'honneur aujourd'hui que parmi les morts?

#### LA PESTE

Je le disais, l'orgueil les tue. Mais c'est bien fatigant pour le vieil homme que je deviens. (*D'une voix dure.*) Prépare-toi.

#### DIEGO

Je suis prêt.

#### LA PESTE

Voici les marques. Elles font mal. (*Diego regarde avec horreur les marques qui sont à nouveau sur lui.*) Là! Souffre un peu avant de mourir. Ceci du moins est ma règle. Quand la haine me brûle, la souffrance d'autrui est alors une rosée. Gémis un peu, cela est bien. Et laisse-moi te regarder souffrir avant de quitter cette ville. (*Il regarde la secrétaire.*) Allons, vous, au travail maintenant!

#### LA SECRÉTAIRE

Oui, s'il le faut.

LA PESTE

Déjà fatiguée, hein !

> *La secrétaire fait oui de la tête et dans le même moment elle change brusquement d'apparence. C'est une vieille femme au masque de mort.*

LA PESTE

J'ai toujours pensé que vous n'aviez pas assez de haine. Mais ma haine à moi a besoin de victimes fraîches. Dépêchez-moi cela. Et nous recommencerons ailleurs.

LA SECRÉTAIRE

La haine ne me soutient pas, en effet, puisqu'elle n'est pas dans mes fonctions. Mais c'est un peu de votre faute. À force de travailler sur des fiches, on oublie de se passionner.

LA PESTE

Ce sont des mots. Et si vous cherchez un soutien… (*Il montre Diego qui tombe à genoux.*) prenez-le dans la joie de détruire. Là est votre fonction.

LA SECRÉTAIRE

Détruisons donc. Mais je ne suis pas à l'aise.

LA PESTE

Au nom de quoi discutez-vous mes ordres ?

LA SECRÉTAIRE

Au nom de la mémoire. J'ai quelques vieux souvenirs. J'étais libre avant vous et associée avec le hasard. Personne ne me détestait alors. J'étais celle qui termine tout, qui fixe les amours, qui donne leur forme à tous les destins. J'étais la stable. Mais vous m'avez mise au service de la logique et du règlement. Je me suis gâté la main que j'avais quelquefois secourable.

LA PESTE

Qui vous demande des secours ?

LA SECRÉTAIRE

Ceux qui sont moins grands que le malheur. C'est-à-dire presque tous. Avec eux, il m'arrivait de travailler dans le consentement, j'existais à ma manière. Aujourd'hui je leur fais violence et tous me nient jusqu'à leur dernier souffle. C'est peut-être pourquoi j'aimais celui-ci que vous m'ordonnez de tuer. Il m'a choisie librement. À sa manière, il a eu pitié de moi. J'aime ceux qui me donnent rendez-vous.

LA PESTE

Craignez de m'irriter ! Nous n'avons pas besoin de pitié.

LA SECRÉTAIRE

Qui aurait besoin de pitié sinon ceux qui n'ont compassion de personne ! Quand je dis que j'aime celui-ci, je veux dire que je l'envie. Chez nous autres conquérants, c'est la misérable forme que prend l'amour. Vous le savez bien et vous savez que cela mérite qu'on nous plaigne un peu.

### LA PESTE

Je vous ordonne de vous taire !

### LA SECRÉTAIRE

Vous le savez bien et vous savez aussi qu'à force de tuer, on se prend à envier l'innocence de ceux qu'on tue. Ah ! pour une seconde au moins, laissez-moi suspendre cette interminable logique et rêver que je m'appuie enfin sur un corps. J'ai le dégoût des ombres. Et j'envie tous ces misérables, oui, jusqu'à cette femme (*elle montre Victoria*) qui ne retrouvera la vie que pour y pousser des cris de bête ! Elle, du moins, s'appuiera sur sa souffrance.

*Diego est presque tombé. La Peste le relève.*

### LA PESTE

Debout, homme ! La fin ne peut venir sans que celle-ci fasse ce qu'il faut. Et tu vois que pour l'instant, elle fait du sentiment. Mais ne crains rien ! Elle fera ce qu'il faut, c'est dans la règle et la fonction. La machine grince un peu, voilà tout. Avant qu'elle soit tout à fait grippée, sois heureux, imbécile, je te rends cette ville !

*Cris de joie du chœur. La Peste se retourne vers eux.*

Oui, je m'en vais, mais ne triomphez pas, je suis content de moi. Ici encore, nous avons bien travaillé. J'aime le bruit qu'on fait autour de mon nom et je sais maintenant que vous ne m'oublierez pas. Regardez-moi ! Regardez une dernière fois la seule puissance de ce monde !

Reconnaissez votre vrai souverain et apprenez la peur. (*Il rit.*) Auparavant, vous prétendiez craindre Dieu et ses hasards. Mais votre Dieu était un anarchiste qui mêlait les genres. Il croyait pouvoir être puissant et bon à la fois. Ça manquait de suite et de franchise, il faut bien le dire. Moi, j'ai choisi la puissance seule. J'ai choisi la domination, vous savez maintenant que c'est plus sérieux que l'enfer.

Depuis des millénaires, j'ai couvert de charniers vos villes et vos champs. Mes morts ont fécondé les sables de la Libye et de la noire Éthiopie. La terre de Perse est encore grasse de la sueur de mes cadavres. J'ai rempli Athènes des feux de purification, allumé sur ses plages des milliers de bûchers funèbres, couvert la mer grecque de cendres humaines jusqu'à la rendre grise. Les dieux, les pauvres dieux eux-mêmes, en étaient dégoûtés jusqu'au cœur. Et quand les cathédrales ont succédé aux temples, mes cavaliers noirs les ont remplies de corps hurlants. Sur les cinq continents, à longueur de siècles, j'ai tué sans répit et sans énervement.

Ce n'était pas si mal, bien sûr, et il y avait de l'idée. Mais il n'y avait pas toute l'idée... Un mort, si vous voulez mon opinion, c'est rafraîchissant, mais ça n'a pas de rendement. Pour finir, ça ne vaut pas un esclave. L'idéal, c'est d'obtenir une majorité d'esclaves à l'aide d'une minorité de morts bien choisis. Aujourd'hui, la technique est au point. Voilà pourquoi, après avoir tué ou avili la quantité d'hommes qu'il fallait, nous mettrons des peuples entiers à genoux. Aucune beauté, aucune grandeur ne nous résistera. Nous triompherons de tout.

LA SECRÉTAIRE

Nous triompherons de tout, sauf de la fierté.

LA PESTE

La fierté se lassera peut-être…

L'homme est plus intelligent qu'on ne croit. (*Au loin remue-ménage et trompettes.*) Écoutez! Voici ma chance qui revient. Voici vos anciens maîtres que vous retrouverez aveugles aux plaies des autres, ivre d'immobilité et d'oubli. Et vous vous fatiguerez de voir la bêtise triompher sans combat. La cruauté révolte, mais la sottise décourage. Honneur aux stupides puisqu'ils préparent mes voies! Ils font ma force et mon espoir! Un jour viendra peut-être où tout sacrifice vous paraîtra vain, où le cri interminable de vos sales révoltes se sera tu enfin. Ce jour-là, je régnerai vraiment dans le silence définitif de la servitude. (*Il rit.*) C'est une question d'obstination, n'est-ce pas? Mais soyez tranquilles, j'ai le front bas des entêtés.

*Il marche vers le fond.*

LA SECRÉTAIRE

Je suis plus vieille que vous et je sais que leur amour aussi a son obstination.

LA PESTE

L'amour? Qu'est-ce que c'est?

*Il sort.*

LA SECRÉTAIRE

Lève-toi femme ! Je suis lasse. Il faut en finir.

> *Victoria se lève. Mais Diego tombe en même temps. La secrétaire recule un peu dans l'ombre. Victoria se précipite vers Diego.*

VICTORIA

Ah ! Diego, qu'as-tu fait de notre bonheur ?

DIEGO

Adieu, Victoria. Je suis content.

VICTORIA

Ne dis pas cela, mon amour. C'est un mot d'homme, un horrible mot d'homme. (*Elle pleure.*) Personne n'a le droit d'être content de mourir.

DIEGO

Je suis content, Victoria. J'ai fait ce qu'il fallait.

VICTORIA

Non. Il fallait me choisir contre le ciel lui-même. Il fallait me préférer à la terre entière.

DIEGO

Je me suis mis en règle avec la mort, c'est là ma force. Mais c'est une force qui dévore tout, le bonheur n'y a pas sa place.

VICTORIA

Que me faisait ta force ? C'est un homme que j'aimais.

### DIEGO

Je me suis desséché dans ce combat. Je ne suis plus un homme et il est juste que je meure.

### VICTORIA, *se jetant sur lui.*

Alors, emporte-moi !

### DIEGO

Non, ce monde a besoin de toi. Il a besoin de nos femmes pour apprendre à vivre. Nous, nous n'avons jamais été capables que de mourir.

### VICTORIA

Ah ! C'était trop simple, n'est-ce pas, de s'aimer dans le silence et de souffrir ce qu'il fallait souffrir ! Je préférais ta peur.

### DIEGO *(il regarde Victoria.)*

Je t'ai aimée de toute mon âme.

### VICTORIA, *dans un cri.*

Ce n'était pas assez. Oh, non ! Ce n'était pas encore assez ! Qu'avais-je à faire de ton âme seule !

> *La secrétaire approche sa main de Diego.*
> *Le mime de l'agonie commence. Les femmes*
> *se précipitent vers Victoria et l'entourent.*

### LES FEMMES

Malheur sur lui ! Malheur sur tous ceux qui désertent nos corps ! Misère sur nous surtout qui sommes les désertées et qui portons à longueur d'années ce monde que leur orgueil prétend transformer. Ah! Puisque tout ne peut être sauvé, apprenons du moins à préserver la maison de l'amour! Vienne la peste, vienne la guerre et, toutes portes closes, vous à côté de nous, nous défendrons jusqu'à la fin. Alors, au lieu de cette mort solitaire, peuplée d'idées, nourrie de mots, vous connaîtrez la mort ensemble, vous et nous confondus dans le terrible embrassement de l'amour! Mais les hommes préfèrent l'idée. Ils fuient leur mère, ils se détachent de l'amante, et les voilà qui courent à l'aventure, blessés sans plaie, morts sans poignards, chasseurs d'ombres, chanteurs solitaires, appelant sous un ciel muet une impossible réunion et marchant de solitude en solitude, vers l'isolement dernier, la mort en plein désert!

*Diego meurt.*
*Les femmes se lamentent pendant que le vent souffle un peu plus fort.*

LA SECRÉTAIRE

Ne pleurez pas, femmes. La terre est douce à ceux qui l'ont beaucoup aimée.

*Elle sort.*
*Victoria et les femmes gagnent le côté, emmenant Diego.*
*Mais les bruits du fond se sont précisés.*
*Une nouvelle musique éclate et l'on entend hurler Nada sur les fortifications.*

### NADA

Les voilà! Les anciens arrivent, ceux d'avant, ceux de toujours, les pétrifiés, les rassurants, les confortables, les culs-de-sac, les bien léchés, la tradition enfin, assise, prospère, rasée de frais. Le soulagement est général, on va pouvoir recommencer. À zéro, naturellement. Voici les petits tailleurs du néant, vous allez être habillés sur mesure. Mais ne vous agitez pas, leur méthode est la meilleure. Au lieu de fermer les bouches de ceux qui crient leur malheur, ils ferment leurs propres oreilles. Nous étions muets, nous allons devenir sourds. (*Fanfare.*) Attention, ceux qui écrivent l'histoire reviennent. On va s'occuper des héros. On va les mettre au frais. Sous la dalle. Ne vous en plaignez pas : au-dessus de la dalle, la société est vraiment trop mêlée. (*Au fond, des cérémonies officielles sont mimées.*) Regardez donc, que croyez-vous qu'ils fassent déjà : ils se décorent. Les festins de la haine sont toujours ouverts, la terre épuisée se couvre du bois mort des potences, le sang de ceux que vous appelez les justes illumine encore les murs du monde, et que font-ils : ils se décorent! Réjouissez-vous, vous allez avoir vos discours de prix. Mais avant que l'estrade soit avancée, je veux vous résumer le mien. Celui-ci, que j'aimais malgré lui, est mort volé. (*Le pêcheur se précipite sur Nada. Les gardes l'arrêtent.*) Tu vois, pêcheur, les gouvernements passent, la police reste. Il y a donc une justice.

### LE CHŒUR

Non, il n'y a pas de justice, mais il y a des limites. Et ceux-là qui prétendent ne rien régler, comme les autres qui entendaient donner une règle à tout, dépassent également les limites. Ouvrez les portes, que le vent et le sel viennent récurer cette ville.

*Par les portes qu'on ouvre, le vent souffle de plus en plus fort.*

### NADA

Il y a une justice, celle qu'on fait à mon dégoût. Oui, vous allez recommencer. Mais ce n'est plus mon affaire. Ne comptez pas sur moi pour vous fournir le parfait coupable, je n'ai pas la vertu de mélancolie. Ô vieux monde, il faut partir, tes bourreaux sont fatigués, leur haine est devenue trop froide. Je sais trop de choses, même le mépris a fait son temps. Adieu, braves gens, vous apprendrez cela un jour qu'on ne peut pas bien vivre en sachant que l'homme n'est rien et que la face de Dieu est affreuse.

*Dans le vent qui souffle en tempête, Nada court sur la jetée, et se jette à la mer. Le pêcheur a couru derrière lui.*

### LE PÊCHEUR

Il est tombé. Les flots emportés le frappent et l'étouffent dans leurs crinières. Cette bouche menteuse s'emplit de sel et va se taire enfin. Regardez, la mer furieuse a la couleur des anémones. Elle nous venge. Sa colère est la nôtre. Elle crie le ralliement de tous les hommes de la mer, la réunion des solitaires. Ô vague, ô mer, patrie des insurgés, voici ton peuple qui ne cédera jamais. La grande lame de fond, nourrie dans l'amertume des eaux, emportera vos cités horribles.

RIDEAU

DOSSIER

# CHRONOLOGIE
## 1913-1960

1913  7 novembre : naissance d'Albert Camus à Mondovi, en Algérie (à treize kilomètres de Bône, actuellement Annaba). Il est le fils de Lucien Camus, modeste gérant d'une exploitation vinicole, et de Catherine, née Sintès, d'origine espagnole.

1914  2 août : début de la Grande Guerre. Lucien Camus est tué au front (sa mémoire sera évoquée par Camus dans son dernier ouvrage ébauché, *Le Premier Homme*, Gallimard, 1994). Sa veuve vient s'installer à Alger, dans le quartier populaire de Belcourt (où habitera Meursault, le héros de *L'Étranger*). Avec ses deux enfants (Albert et son frère aîné), elle va mener une existence presque misérable.

1923  Albert Camus entre en qualité d'élève boursier au lycée Bugeaud (actuellement lycée Abd-el-Kader), à Alger.

1929  Première lecture de Gide (*Les Nourritures terrestres*).

1930  Premières attaques de la tuberculose.

1932  Entre en hypokhâgne au lycée Bugeaud. Jean Grenier est son professeur de philosophie. Il deviendra son ami et Camus lui dédiera notamment *L'Envers et l'Endroit* et *L'homme révolté*.

1933  Milite dans un mouvement antifasciste.

1934  Il se marie à Simone Hié, de qui il divorcera deux ans plus tard.

1935  Adhère pendant une très brève période au Parti communiste. Commence à écrire *L'Envers et l'Endroit*, suite de courts récits, suit des cours de philosophie à la Faculté des Lettres d'Alger et occupe divers petits emplois.

1936   Obtient le Diplôme d'études supérieures (équivalent de la maîtrise actuelle) en philosophie (sujet : « Métaphysique chrétienne et néoplatonisme »). En juin, il fait un voyage en Europe centrale, notamment en Tchécoslovaquie. Ce voyage, à l'issue duquel il se sépare de son épouse, lui inspirera en partie *Le Malentendu*. Le 17 juillet commence la Guerre d'Espagne. Avec quelques amis, Camus fonde le Théâtre du Travail, bientôt rebaptisé Théâtre de l'Équipe (*Le Malentendu* sera dédié à ses « amis du Théâtre de l'Équipe »). Il écrit (en collaboration) *Révolte dans les Asturies*, dont la représentation sera interdite.

1937   Journaliste à *Alger républicain*, quotidien de gauche que dirige Pascal Pia, à qui Camus dédiera *Le Mythe de Sisyphe*. Il s'y occupe notamment des grands procès politiques qui se déroulent en Algérie. Son état de santé lui interdit de se présenter à l'agrégation de philosophie. Il publie *L'Envers et l'Endroit* et commence un roman, *La Mort heureuse*, qui restera inachevé (publication posthume, Gallimard, 1971). Au théâtre, il monte, entre autres, *Le Retour de l'enfant prodigue*, de Gide.

1938   Commence à écrire *Caligula*, songe à un essai sur l'absurde et prend des notes qui lui serviront dans sa composition de *L'Étranger*.

1939   Publication de *Noces*. Enquête en Kabylie. 3 septembre : début de la Seconde Guerre mondiale. Camus, qui a tenté de s'engager, est ajourné pour raisons de santé.

1940   Épouse Francine Faure, originaire d'Oran. *Alger républicain* ayant cessé de paraître, Camus quitte l'Algérie pour la métropole et entre à *Paris-Soir*. En mai, tandis que l'Allemagne envahit la France, il achève *L'Étranger*. À l'automne, il rédige la première partie du *Mythe de Sisyphe* et s'installe pour trois mois à Lyon.

1941   De retour à Oran, il achève *Le Mythe de Sisyphe* et commence *La Peste*.

1942   Victime au printemps d'une nouvelle attaque d'hémoptysie, il part l'été se reposer au Chambon-sur-Lignon (Haute-Loire), puis au Panelier, près du Chambon. Il avance dans la composition du *Malentendu*. *L'Étranger* et *Le Mythe de Sisyphe* ont paru, respectivement en juillet et en novembre. Le débarquement des Alliés en Afrique du Nord (8 novembre) le sépare pour longtemps de Francine, rentrée en Algérie.

1943    L'exil dans la région stéphanoise se poursuit. Achève la première rédaction du *Malentendu* et écrit la première *Lettre à un ami allemand*. Devient lecteur chez Gallimard. À Paris, il habite l'appartement d'André Gide. Il milite à *Combat*.

1944    Rencontre avec Jean-Paul Sartre et seconde *Lettre à un ami allemand*. En mai, publication en un seul volume du *Malentendu* et de *Caligula*. Le 24 juin 1944 : création du *Malentendu* au Théâtre des Mathurins. Le 25 août, Paris est libéré. Camus prend avec Pascal Pia la direction de *Combat*, qui paraît désormais librement.

1945    Après l'armistice (8 mai), Camus part pour l'Algérie afin d'enquêter sur les graves émeutes qui ont éclaté à Sétif. Le 5 septembre : naissance des jumeaux, Jean et Catherine Camus. *Caligula* est représenté le 26 septembre au Théâtre Hébertot, avec Gérard Philipe dans le rôle principal.

1946    Voyage aux États-Unis et achève *La Peste*, puis abandonne la direction de *Combat*.

1947    En juin, *La Peste* est publiée et connaît aussitôt un énorme succès.

1947-1948    Séjours à Lourmarin (Vaucluse).

1948    Voyage en Algérie, qui inspirera en partie *L'Été*. Le 27 octobre, représentation de *L'État de siège*, qui connaît un échec.

1949    Voyage en Amérique du Sud. Sa santé se détériore. Le 15 décembre : création des *Justes*, avec Serge Reggiani et Maria Casarès.

1950    Publication d'*Actuelles I*.

1951    Octobre : publication de *L'Homme révolté*, auquel il travaille depuis 1943.

1952    Voyage en Algérie, notamment à Tipasa. En août, la rupture avec Sartre est consommée. Il commence les nouvelles qui composeront *L'Exil et le royaume*. Adapte *Les Possédés*, d'après Dostoïevski.

1953    Prend parti en faveur des émeutiers qui se sont soulevés
        à Berlin-Est contre le régime communiste. Publication
        d'*Actuelles II*.

1954    Publication de *L'Été*. 1er novembre : début de la guerre
        d'Algérie.

1955    Adaptation d'*Un cas intéressant*, de Dino Buzzati. Voyage
        en Grèce. Conférence à Athènes sur l'avenir de la tra-
        gédie. À partir de juin, il commence à collaborer à *L'Ex-
        press*.

1956    À Alger, il lance un appel en faveur d'une trêve civile,
        mal accueilli par les Français d'Algérie. En février, il
        cesse de collaborer à *L'Express*. Mai : publication de *La
        Chute*. Septembre : représentation et succès de *Requiem
        pour une nonne*, adapté d'après William Faulkner.

1957    Mars : publication de *L'Exil et le royaume*. Au Festival
        d'Angers est notamment repris *Caligula*. Le 17 octobre,
        Camus reçoit le prix Nobel de littérature.

1958    *Discours de Suède*. Réédition de *L'Envers et l'Endroit* (avec
        une nouvelle préface) et du *Malentendu* suivi de *Caligula*
        (nouvelles versions). Publication d'*Actuelles III*. Son état
        de santé se détériore à nouveau.

1959    Janvier : représentation des *Possédés*. Novembre : rédac-
        tion, à Lourmarin où il a acheté une maison un an plus
        tôt, de la première partie du *Premier Homme*, roman très
        autobiographique qu'il laissera inachevé.

1960    4 janvier : Camus meurt dans un accident d'automo-
        bile, près de Montereau, en Seine-et-Marne. Il est
        enterré à Lourmarin.

## L'ÉTAT DE SIÈGE À LA SCÈNE

Dans son *Camus, homme de théâtre*, Ilona Coombs donne un bon aperçu de ce que fut la première mise en scène de *L'État de siège*[1].

« Pour étayer la distribution prestigieuse de *L'État de siège*, tout le reste de ce qui fut certainement la pièce la plus visuelle de Camus était à l'avenant. Les décors et costumes de Balthus évoquaient, dans le premier acte surtout, une atmosphère d'apocalypse. De hautes murailles crénelées se découpaient en ombres chinoises sur un ciel qui se colorait et se décolorait tour à tour pendant le passage de la comète. La partition de Honegger créait une atmosphère d'attente car la pièce s'ouvrait sur un thème musical rappelant la sirène d'alerte. La musique de scène se fondait d'ailleurs, à mesure que l'action se déroulait, avec les volées de la cloche des morts, le bourdonnement des prières de la foule, les coups mats des exécutions, le claquement sourd des portes de la ville qui se fermaient une à une. (...) L'action se passe à Cadix à une époque indéterminée, hors du temps pour ainsi dire, quoique la mise en scène et la vie de la ville aient quelque chose de médiéval. Le décor l'est aussi, car il consiste en plusieurs lieux ou "mansions" qu'un faisceau

1. Voir *supra*, p. 31, la distribution complète de la pièce. Pour avoir une vue des décors, on peut se reporter à Morvan Lebesque, *Camus par lui-même*, Le Seuil, 1963, à l'*Album Camus* de la Pléiade, Gallimard, 1982 (dû à Roger Grenier), et surtout au numéro de la revue *Avant-scène* consacré à Camus, « *Révolte dans les Asturies* », « *L'État de siège* » et richesses théâtrales d'Albert Camus, n° 413-414, 1ᵉʳ-15 novembre 1968.

de lumière mettra en évidence selon les besoins de l'action. Ainsi le lieu est partout et nulle part. La même universalité caractérise la foule des acteurs telle qu'elle nous est présentée au début : pêcheurs, mendiants, comédiens, astrologue, puis plus tard, juge, amoureux, gouverneur et alcades, c'est en fait tout le peuple de Cadix qui est mis en cause » (p. 98-99).

Le compte rendu de la pièce qui donne la meilleure critique des premières représentations est sans doute celui de Mme Dussane, paru dans *Le Mercure de France* du 1er janvier 1949. On y lit notamment :

« Les moyens par lesquels Barrault a entrepris de nous transmettre le texte de Camus ont détruit ce texte au passage, parce qu'ils lui étaient antinomiques dans leur essence.

» Barrault, on le sait, est fervent d'un certain style de mime à la fois rigoureux et abstrait. Il réduit volontiers ses acteurs à dessiner de vivants hiéroglyphes schématisant les sentiments de leurs personnages. Il tend à figurer, par les corps, des signes, et ses pantomimes les plus originales en prennent quelque chose de l'inhumaine beauté mathématique.

» De même, la technique spéciale du chœur parlé oblige chaque acteur à réciter le membre de phrase qui lui est échu sur des intonations non spontanées, et au diapason d'une parole collective. Là encore, on plie les moyens humains à une sorte d'imitation du mécanique ou de l'abstrait. Tout cela ne peut s'obtenir que par de longues disciplines d'ensemble, un très particulier entraînement où l'acteur s'immole, non pas à l'auteur, mais à ce super-acteur qu'est le metteur en scène. Cela fait songer beaucoup moins au chariot de Thespis qu'au cadre d'un Prytanée.

» Revanche de la vie qui se rit des systèmes : tous ces jeunes acteurs qui figurent les citoyens victimes du fléau courent, tombent, s'élancent et s'écrient en mesure, avec rectitude et violence ; mais ils sont si occupés de leur gymnastique que leur regard se vide de toute expression. Aussi perdent-ils peu à peu leur densité humaine. On a reproché au texte de Camus sa froideur, sa longueur, sa rhétorique. Rien de cela peut-être n'est fondé. Mais le texte de Camus crie la révolte de l'individu contre la tyrannie administrative, la subversion triomphale de l'amour, toutes les aspirations imaginables vers la liberté, fût-elle anarchique…

» Et voilà que tout ce poème d'indiscipline a été mis en scène selon une esthétique à caractère militaire ! Ne nous étonnons pas qu'il s'y soit dissous : que fût-il resté des fureurs d'Oreste, harmonisées pour les dragons du Roi ? Attendons de lire le texte — j'allais dire, hélas ! le livret — de la pièce. Attendons surtout le prochain livre, où Camus sera seulement, et pleinement, lui-même. Attendons également le prochain spectacle, où Barrault dans le respect d'une œuvre se sera soumis et renouvelé… »

Avant ce compte rendu avaient déferlé les critiques accablantes auxquelles Camus fera souvent allusion. Ce n'est pas tant le génie de Camus ou de Barrault qui est mis en cause, que les résultats de leur collaboration, et s'il fallait désigner un « fautif » (ce à quoi répugnait évidemment Camus), la critique le trouvait du côté du metteur en scène plus que du côté de l'auteur. Dans *Franc-tireur* (29 octobre 1948), Guy Verdot, comparant *L'État de siège* aux *Nuits de la colère* d'Armand Salacrou, concluait toutefois : « *L'État de siège* nous fait penser. *Les Nuits de la colère* faisaient vibrer. Salacrou est un homme de théâtre, Camus demeure un philosophe qui écrit pour le théâtre. » Dans *Combat* du même jour, Jacques Lemarchand, tout en soulignant que Camus et Barrault ne parlaient pas la même langue, se montrait sensible au message de la pièce : « La peste est parmi nous ; elle atteint, un peu au hasard, les habitants de notre cité. Il n'est contre elle qu'une défense : le courage ; et l'amour, quand il existe, donne du courage au courage. » Il y a, disait-il, « dans *L'État de siège* tous les éléments nécessaires à ce *Mariage de Figaro* que notre époque attend. Les formules dramatiques, celles que nous voulions entendre, sont là. Elles sont régulièrement noyées dans ces sonneries de sirène, ces doux mugissements Martenot, ces piétinements de foule réglée, ces beaux changements d'éclairage, qui distraient l'attention, l'éparpillent — pourquoi ? ». Ce même 29 octobre, dans *Le Figaro*, Jean-Jacques Gautier avouait que « les passages poétiques, les couplets d'une belle langue » l'avaient laissé étrangement indifférent ; mais il rendait hommage aux interprètes de la pièce, en premier lieu à Madeleine Renaud (la Secrétaire) et à Pierre Brasseur (Nada). Dans *Le Figaro littéraire* du 30 octobre, Thierry Maulnier trouve que « jamais le style de Camus n'a été plus ferme, plus dur, plus éclatant dans le lyrisme», mais il juge comme «une sorte de diversion oratoire» l'appel final de l'auteur à la «grande patrie des insurgés».

Certains ne s'embarrassent pas de nuances. Elsa Triolet, qui a eu, tout comme Aragon, des rapports compliqués avec Camus pendant la guerre, simplifie les choses dans son article des *Lettres françaises* (4 novembre 1948) : «Les vérités premières qu'il a exprimées dans *L'État de siège*, ou bien celles sur le mur administratif, la paperasserie par exemple, Courteline les avait fort bien montrées, et sans faire de foin pathétique... » Moins venimeux, mais guère moins sévère, Roger Vailland écrit quelques jours plus tard dans *Action* (16 novembre 1948) : «Le public bourgeois qui fréquente le Théâtre Marigny semble assez désemparé par le spectacle que lui offrent Albert Camus et Jean-Louis Barrault. Ce n'est ni une tragédie, ni un drame, ni une comédie, ni un ballet et un peu de tout cela. Imaginez une suite de sketches sur les grands thèmes de la liberté, de l'amour et de la mort reliés entre eux par une affabulation très lâche : une épidémie de peste dans une Cadix de rêve. Imaginez aujourd'hui même un opéra réinventé sur la grève des mineurs. Quel décor, quel ballet de tragédie, quels textes à faire sur le thème C.R.S. : S.S. ! » Mais peut-être Pierre Quemeneur avait-il dans *La Scène* (13 novembre 1948) formulé le jugement le plus dur sur Camus : «La cause du désastre me paraît inhérente au génie même de l'auteur. (Et je pense à Camus plus encore qu'à Barrault.) Je ne crois pas que Camus ait le don de démiurge. Il me paraît marqué d'une étrange impuissance à créer des personnages. »

Camus ne put s'empêcher de penser que si sa pièce avait été mal reçue, c'est qu'elle était, au plan idéologique, dérangeante. Dans la Préface à l'édition américaine de son théâtre (1958), il déclare : «Il est intéressant de noter que cette pièce sur la liberté est aussi mal reçue par les dictatures de droite que par les dictatures de gauche. Jouée sans interruption, depuis des années, en Allemagne, elle n'a été jouée ni en Espagne ni derrière le rideau de fer. Il y aurait encore beaucoup à dire sur les intentions cachées ou explicites de cette pièce. Mais je veux seulement éclairer le jugement de mes lecteurs, non l'incliner[1]. »

---

1. *Théâtre, récits, nouvelles*, Pléiade, p. 1732-1733. Une note de l'édition (1962) précise qu'elle a été jouée depuis en Yougoslavie et en Pologne.

C'est la même année que, dans une interview à *Paris-Théâtre*, il confie qu'il aimerait voir *L'État de siège* en plein air et ajoute qu'il «pourrait être modifié en plusieurs endroits[1]». Il n'a pourtant pas procédé pour *L'État de siège* à ces constants remaniements auxquels fut soumis *Caligula*, ni aux retouches apportées au *Malentendu* en vue d'une adaptation télévisée qu'on ne risquait guère, il est vrai, de lui demander pour *L'État de siège*. Tout au plus note-t-il dans ses *Carnets*, en 1953 : «Ajouter à *L'État de siège*. Ministère du suicide. "Impossible cette année. Les effectifs sont complets. Remplissez une fiche pour l'année prochaine[2]"», signe qu'il pense toujours à sa pièce, mais non pour en modifier la conception scénique.

*L'État de siège* fut, selon le vœu de Camus, donné en plein air en août 1959 par un groupe de jeunes[3]. Quant à son succès en Allemagne, il avait commencé avec une représentation donnée à Munich le 20 juin 1950, et se poursuivit en particulier à Nuremberg en septembre 1959.

Après la mort de Camus, c'est encore en Allemagne (de l'Ouest, il va sans dire) que *L'État de siège* continua d'être le mieux accueilli : Osnabrück en octobre 1962, Hambourg en 1969. Un opéra tiré de la pièce, *Le Siège*, du Yougoslave Milko Kelemen, fut créé à l'Opéra d'État de Hambourg. En France, il faut surtout noter la représentation de la pièce au Festival de Châlon-sur-Saône, en juillet 1964, avec la troupe du théâtre de Bourgogne (mise en scène de Roland Monod, costumes de Claude Engelbach, musique d'André Chamoux, dispositif scénique de Bernard Guillaumot[4]). *Le Progrès*, édition de Châlon (16 juillet 1964), notait que *L'État de siège* avait été mis en scène «à la façon quelque peu tumultueuse des moralités médiévales» et il relevait, parmi les personnages, des silhouettes familières, «depuis celles des policiers coiffés de casques et munis de plaques à la façon des feld-gendarmes jusqu'à celle du dictateur, vêtu d'une tunique verdâtre de sous-officier et que l'on imagine bien l'œil barré d'une mèche

---

1. *Ibid.*, p. 1717.
2. *Carnets III*, p. 79.
3. D'après Ilona Coombs, *Camus, homme de théâtre*, p. 109.
4. Le texte avait été, avec l'accord de Mme Camus, modifié, «allégé de redites et d'espagnolades» (*Le Progrès de Lyon*, 20 octobre 1964).

rebelle et la lèvre ornée de quatre poils de moustache — c'est en réalité, au-delà du temps et de l'espace, la condition humaine qui est au cœur du débat». Rendant compte du même spectacle le 22 août 1964, *La Tribune de Genève* rappelait que Jules Romains «avait déjà refait les tables de la Loi, au théâtre; il s'agissait alors de l'"unanimisme", dont *Cromedeyre le Vieil* fut l'un des rares fruits». On signalera également trois représentations données au stage international de l'U.F.O.L.E.A. de Bressieux (Isère), les 29, 30 et 31 juillet 1966, et une création à la Citadelle de Villefranche (Alpes-Maritimes), le 24 août 1967, la presse locale faisant état de l'«énorme machinerie» mise sur pied pour la circonstance.

## L'ÉTAT DE SIÈGE
### DEVANT LA CRITIQUE

Quoique Gabriel Marcel ait livré ses réflexions à la suite d'une représentation de la pièce[1], celles-ci viennent d'un penseur et d'un citoyen, non d'un spécialiste du théâtre. Jean Grenier, l'ancien professeur de philosophie et ami de Camus, n'a pas, lui, assisté aux représentations. Il est alors en mission au Caire où Camus lui expédie le volume mis en vente aux premiers jours de l'année 1949. Ses commentaires, qui figurent dans une lettre envoyée à Camus le 19 février 1949, sont beaucoup plus élogieux que ceux par lesquels il avait accueilli *Caligula*, mais un peu moins enthousiastes que pour *Le Malentendu* :

«Je vous remercie de *L'État de siège* — tout ce que vous y dites trouve en moi — comme, je pense, en un grand nombre, une résonance. Je ne m'explique pas que la pièce n'ait pas eu de succès. Elle est écrite dans une langue très pleine, dans un style très direct qui porte ; et l'émotion doit se communiquer au spectateur comme à l'acteur. Peut-être est-on un peu dérouté par le *chevauchement* des symboles de fléaux : épidémie, bureaucratie, collaboration. — À la lecture cela paraît naturel.

»J'aime beaucoup que vous mettiez en contraste la grandeur et la "mi-hauteur", que vous fassiez ressortir la seconde aux dépens de la première. Vous avez su admirablement faire parler les deux voix.

»La scène du juge avec sa femme dans la 2ᵉ partie est très

---

1. Voir *infra*, p. 206.

émouvante. Les dialogues d'amour sont beaux, peut-être d'un ton au-dessus de celui des autres, et sur un autre registre[1]. »

La rareté des représentations de *L'État de siège*, en France notamment, a fait que beaucoup de critiques ont continué de parler du texte de la pièce plus que des possibilités qu'elle offrait à la mise en scène. Morvan Lebesque a probablement assisté au spectacle du théâtre Marigny, mais il est significatif qu'il semble en oublier les modalités dans son *Camus par lui-même* (1963) aussi bien que dans sa remarquable étude « La passion pour la scène » (1964) pour attendre d'une représentation en plein air la vérité de la pièce (à l'inverse, il regrettait que la « conspiration feutrée » de *Caligula* eût été jetée à tous les vents à l'occasion du Festival d'Angers). À ses yeux, dans l'ensemble du théâtre de Camus, *L'État de siège* « témoigne de son ambition la plus haute. Apollon, Dionysos... Comment le jeune Camus, dévorant le message de Nietzsche, ne se sentirait-il pas appelé à lui donner corps ? La terre où il est né, le siècle où il vit lui apparaissent éminemment tragiques. Cette terre, c'est presque la Grèce : mer, soleil, rigueur des contours, lucidité mais aussi ambiguïté de la lumière qui "à force d'épaisseur coagule l'univers et ses formes dans un éblouissement obscur". Quant au siècle, il se trouve à un tournant qui ferait pâlir celui des guerres médiques : les Eschyle et les Sophocle de ces années 50 n'ont-ils pas pour sujets tout neufs le stalinisme et la menace atomique ? Il ne s'agit de rien de moins que de sauver l'homme de ses propres tentations : l'oppression, le suicide. Comment ? Par une haute leçon, mais non partisane, donc non didactique : une œuvre qui se refusera à la fois à la psychologie et au commentaire brechtien : "Si tout est mystère, il n'y a pas de tragédie. Si tout est raison, non plus. La tragédie naît de l'ombre et de la lumière et par leur opposition" ». L'ambition de Camus se solde pourtant par un échec. Morvan Lebesque en analyse les raisons : ni chrétien ni marxiste, Camus ne pouvait trouver dans une salle cette communauté à laquelle il aspirait ; surtout, il donne le sentiment que, faute d'avoir tout dit dans *La Peste*, il complète son message par *L'État de siège*. Cette dernière hypothèse rend

---

1. *Correspondance Albert Camus-Jean Grenier* (1932-1960), p. 153 ; voir plus loin la Bibliographie.

raison du verdict, accablant : « Malgré le lyrisme où il baigne (le cri final du peuple : "À la mer ! À la mer !"), *L'État de siège* n'est pas tellement éloigné de la pièce à thèse. »

Dans un chapitre de son ouvrage *Les Envers d'un échec*, intitulé « *L'État de siège* ou échec d'une dialectique de la morale », Raymond Gay-Crosier relève, parmi les causes de l'insuccès de la pièce, l'application avec laquelle Camus suit, surtout dans la première partie, le genre des *autos sacramentales* espagnols, le caractère abstrait du personnage de la Peste sur qui il est difficile de faire peser des responsabilités, mais surtout la contradiction du dénouement tragique et des intentions apparentes de la pièce avec les idées directrices de l'auteur. Raymond Gay-Crosier juge en effet forcé le dévouement de Diego, qui sacrifie en faveur du devoir des richesses terrestres auxquelles n'ont pas l'habitude de renoncer les autres héros de Camus. On a du mal à suivre Raymond Gay-Crosier quand, comparant Diego avec le docteur Rieux, il note que le héros de *La Peste* se sacrifie sans perdre la vie et que son choix de soigner ses concitoyens plutôt que de rejoindre sa femme lui est de toute façon dicté par les circonstances. Cette interprétation de l'attitude de Rieux sous-estime la grandeur du personnage, et Raymond Gay-Crosier néglige en outre la vertu de « miroir de concentration » à laquelle satisfait toute pièce digne de ce nom. « Diego se plaît à jouer au martyr », écrit-il. Admettons seulement que son comportement est, au plein sens du terme, plus *théâtral* que celui de Rieux. Quant aux idées directrices de Camus, que le recours au reste de son œuvre doit effectivement éclairer, peut-être Raymond Gay-Crosier s'en recommande-t-il abusivement pour confondre la pièce : chaque œuvre ne peut être jugée qu'en fonction de sa cohérence interne. Si on retient ce critère, il nous paraît (comme nous l'avons dit dans notre préface) que la cohérence de *L'État de siège* est mal assurée par le symbole de la Peste, qui rend ambigu le *sens* de la révolte de Diego, mais sans annuler le caractère émouvant de son personnage. Nous trouvons également Raymond Gay-Crosier sévère quand il écrit qu'autour de Victoria et de Diego, « tous les autres personnages tournent comme des marionnettes » : la figure de Nada, au moins, rend ce raccourci excessif.

Dans son *Camus, homme de théâtre*, Ilona Coombs, en d'excellentes formules, partiellement inspirées de l'*Albert Camus* de Germaine Brée (New York, Columbia University Press, 1964), résume ainsi l'intérêt de la pièce : « Ce qui fait la grandeur du théâtre de Camus, c'est que seul parmi les dramaturges contemporains, à l'exception de Claudel, il a tâché d'inventer des mythes nouveaux qui pussent refléter les immenses bouleversements du monde moderne. En outre, dans ce théâtre qui aspire à être universel comme le théâtre antique, se jouera ce qu'on pourrait appeler une "passion", puisqu'à un ordre imparfait va succéder un désordre destructeur qui, après le sacrifice d'une victime expiatoire, sera remplacé par un renouveau d'ordre libérateur transcendant (p. 99). » Pour le reste, Ilona Coombs résume les analyses connues de l'échec de la pièce, en particulier ces compromis auxquels consentirent Camus et Barrault, chacun s'efforçant d'aller dans le sens de l'autre et ne réussissant qu'à émousser son propre génie.

Revenant à son tour sur les difficultés de la collaboration Camus-Barrault, Edward Freeman *(The Theatre of Albert Camus)* insiste plus qu'il ne convient, à notre sens, sur l'influence des idées d'Artaud sur la conception de la pièce. Mais il souligne avec raison l'écart du symbole du fléau dans la pièce et dans *La Peste*. Dans le roman, les pestiférés étaient victimes d'une manifestation somme toute abstraite de l'Absurde, alors qu'au théâtre ils subissent des sévices d'origine humaine.

C'est surtout à partir du personnage de Diego que Fernande Bartfeld *(L'Effet tragique. Essai sur le tragique dans l'œuvre de Camus)* analyse l'échec de la pièce. En l'absence d'un « arrière-texte métaphysique » dans son itinéraire, le spectateur ne peut discerner la dimension tragique du héros et il a le sentiment que celui-ci se bat contre de « pures entités ». « Dans ces conditions, rien d'étonnant à ce que l'extraordinaire déploiement d'efforts scéniques auquel donna lieu *L'État de siège* fit l'impression d'une énorme machine tournant à vide. » On entrevoit comment l'analyse de Fernande Bartfeld pourrait orienter vers une comparaison de Diego avec les personnages de Kafka. Après tout, le héros du *Château* se bat lui aussi contre des entités, mais celles-ci renvoient à une fatalité plus obscure qui n'offre guère de prise au courage. Il n'est pas sûr que la foi en l'homme de Camus pût faire bon ménage avec son sens du tragique.

Peut-être faut-il, pour apprécier la grandeur de *L'État de siège*, ne pas considérer la pièce en priorité à partir de son héros. On le supposera en lisant le plus chaleureux plaidoyer qu'elle ait inspiré. Dans « *L'État de siège* ou le rêve de la ville au théâtre », communication donnée au Colloque d'Amiens (1988), recueillie dans *Albert Camus et le théâtre* et déjà citée dans notre préface, Michel Autrand retrace quelques étapes de ce rêve dans l'histoire du théâtre. Il est présent dans la tragédie grecque et dans le mystère médiéval, avant de s'effacer du XVIe siècle à l'époque romantique. Naturalisme et symbolisme permettent sa résurrection et *La Ville*, de Paul Claudel, lui offre son épanouissement. Michel Autrand analyse, dans *L'État de siège*, les manifestations de cet incessant mouvement, qui lassa les spectateurs. Ce n'est pas seulement le mouvement des individus et de la foule : c'est, notamment par l'intermédiaire du vent, celui de l'ensemble de l'univers naturel. « À cette libération du mouvement, répond une remarquable libération du son », réalisée assurément grâce à la musique d'Arthur Honegger, mais prévue aussi par des indications scéniques de Camus lui-même. Le langage des personnages est à l'unisson des phénomènes sonores et doit être compris à partir d'eux : il contribue en effet à estomper leur individualité au profit de la collectivité, qui donne son sens à la pièce.

# DOCUMENTS

## POURQUOI L'ESPAGNE
### (Réponse d'Albert Camus à Gabriel Marcel)

*Dans son compte rendu de la première mise en scène de* L'État de siège *paru dans* Les Nouvelles littéraires *du 4 novembre 1948, Gabriel Marcel écrivait notamment :*

*« Je ne trouve pas courageux, ni même très honnête d'avoir situé l'action en Espagne, à Cadix, plutôt que dans quelque port dalmate ou albanais par exemple, ou dans quelque cité sub-carpathique.*

*» Je ne puis m'empêcher de penser que ce fait ne doit pas être imputable à Monsieur Camus lui-même dont la bravoure est évidente. Toute personne impartiale et bien informée en conviendra, ce n'est nullement de la péninsule ibérique que nous viennent depuis quelque temps les nouvelles les plus propres à désespérer ceux qui gardent le souci de la dignité et de la liberté humaines ; il semble qu'on ait cherché un dérivatif destiné à apaiser le courroux de ceux contre qui, en 1948, je dis bien en 1948, l'œuvre, qu'on le veuille ou non, est principalement dirigée. »*

*Aux arguments d'ordre essentiellement politique donnés par Camus dans sa réponse, il serait facile d'ajouter que, ne serait-ce qu'en raison des origines de sa mère, il n'a cessé de témoigner de son intérêt pour l'Espagne*[1]. *Sa première pièce (écrite en collaboration) s'intitulait*

---

1. Voir par exemple à ce sujet Jacqueline Lévi-Valensi, « Réalité et symbole de l'Espagne dans l'œuvre de Camus », dans *Albert Camus 1 : Autour de « L'Étranger »*, textes réunis par Brian T. Fitch, « Revue des Lettres Modernes », nº 170-174, Minard, 1968. On peut lire aussi « Ce que je dois à l'Espagne », allocution prononcée par Camus le 22 janvier 1958, reproduite en mars 1958 dans *Preuves*, puis dans *Essais*, Pléiade, p. 1905-1908.

Révolte dans les Asturies. *On sait aussi quels liens l'unissent à Maria Casarès, Espagnole qui se réfugia en France à la fin de la guerre civile et à qui il confia le rôle de Martha dans* Le Malentendu *et celui de Victoria dans* L'État de siège *(faut-il entendre dans ce nom de Victoria un écho de « Vitolina », surnom qui fut donné à Maria pendant la guerre civile alors qu'elle travaillait dans un hôpital ?).*

*La réponse de Camus, parue dans* Combat *en décembre 1948, a été reprise dans* Actuelles I *(Gallimard, 1950), puis dans l'édition des* Essais *de Camus (Pléiade, Gallimard, 1965, p. 391-396).*

Je ne répondrai ici qu'à deux passages de l'article que vous avez consacré à *L'État de siège*, dans *Les Nouvelles littéraires*. Mais je ne veux répondre en aucun cas aux critiques que vous, ou d'autres, avez pu faire à cette pièce, en tant qu'œuvre théâtrale. Quand on se laisse aller à présenter un spectacle ou à publier un livre, on se met dans le cas d'être critiqué et l'on accepte la censure de son temps. Quoi qu'on ait à dire, il faut alors se taire.

Vous avez cependant dépassé vos privilèges de critique en vous étonnant qu'une pièce sur la tyrannie totalitaire fût située en Espagne, alors que vous l'auriez mieux vue dans les pays de l'Est. Et vous me rendez définitivement la parole en écrivant qu'il y a là un manque de courage et d'honnêteté. Il est vrai que vous êtes assez bon pour penser que je ne suis pas responsable de ce choix (traduisons : c'est le méchant Barrault, déjà si noir de crimes). Le malheur est que la pièce se passe en Espagne parce que j'ai choisi, et j'ai choisi seul, après réflexion, qu'elle s'y passât en effet. Je dois donc prendre sur moi vos accusations d'opportunisme et de malhonnêteté. Vous ne vous étonnerez pas, dans ces conditions, que je me sente forcé à vous répondre.

Il est probable d'ailleurs que je ne me défendrais même pas contre ces accusations (devant qui se justifier, aujourd'hui ?) si vous n'aviez touché à un sujet aussi grave que celui de l'Espagne. Car je n'ai vraiment aucun besoin de dire que je n'ai cherché à flatter personne en écrivant *L'État de siège.* J'ai voulu attaquer de front un type de société politique qui s'est organisé, ou s'organise, à droite et à gauche, sur le mode totalitaire. Aucun spectateur de bonne foi ne peut douter que cette pièce prenne le parti de l'individu, de la chair dans ce qu'elle a de noble, de l'amour terrestre enfin, contre les abstractions et les terreurs de l'État totalitaire, qu'il soit russe, allemand ou espagnol. De graves docteurs réfléchissent tous les jours sur la décadence de notre société en y cherchant de profondes raisons. Ces raisons existent sans doute. Mais, pour les plus simples d'entre nous, le mal de l'époque se définit par ses effets, non par ses causes. Il s'appelle l'État, policier ou bureaucratique. Sa prolifération dans tous les pays sous les prétextes idéologiques les plus divers, l'insultante sécurité que lui donnent les moyens mécaniques et psychologiques de la répression, en font un danger mortel pour ce qu'il y a de meilleur en chacun de nous. De ce point de vue, la société politique contemporaine, quel que soit son contenu, est méprisable. Je n'ai rien dit d'autre, et c'est pour cela que *L'État de siège* est un acte de rupture, qui ne veut rien épargner.

Ceci étant clairement dit, pourquoi l'Espagne ? Vous l'avouerai-je, j'ai un peu honte de poser la question à votre place. Pourquoi Guernica, Gabriel Marcel ? Pourquoi ce rendez-vous où, pour la première fois, à la face d'un monde encore endormi dans son confort et dans sa misérable morale, Hitler, Mussolini et Franco ont démontré à des enfants ce qu'était la technique totalitaire. Oui, pourquoi ce rendez-vous qui nous concernait aussi ? Pour la première fois, les hommes de mon âge rencontraient l'injustice triomphante dans l'histoire. Le sang de l'innocence coulait alors au milieu d'un grand bavardage pharisien qui, justement, dure encore. Pourquoi l'Espagne ? Mais parce que nous sommes quelques-uns qui ne nous laverons pas les mains de ce sang-là. Quelles que soient les raisons d'un anticommunisme, et j'en connais de bonnes, il ne se fera pas accepter de nous s'il s'abandonne à lui-même jusqu'à oublier cette injustice, qui se perpétue avec la complicité de nos gouvernements. J'ai dit aussi haut que je l'ai pu ce que je pensais des camps de concentration russes. Mais ce n'est pas cela qui me fera oublier Dachau, Buchenwald, et l'agonie sans nom de millions d'hommes, ni l'affreuse répression qui a décimé la République espagnole. Oui, malgré la commisération de nos grands politiques, c'est tout cela ensemble qu'il faut dénoncer. Et je n'excuserai pas cette peste hideuse à l'Ouest de l'Europe parce qu'elle exerce ses ravages à l'Est, sur de plus grandes étendues. Vous écrivez que pour ceux qui sont bien informés, ce n'est pas d'Espagne que leur viennent en ce moment les nouvelles les plus propres à désespérer ceux qui ont le goût de la dignité humaine. Vous êtes mal informé, Gabriel Marcel. Hier encore, cinq opposants politiques ont été là-bas condamnés à mort. Mais vous vous prépariez à être mal informé, en cultivant l'oubli. Vous avez oublié que les premières armes de la guerre totalitaire ont été trempées dans le sang espagnol. Vous avez oublié qu'en 1936, un général rebelle a levé, au nom du Christ, une armée de Maures, pour les jeter contre le gouvernement légal de la République espagnole, a fait triompher une cause injuste après d'inexpiables massacres et commencé dès lors une atroce répression qui a duré dix années et qui n'est pas encore terminée. Oui, vraiment, pourquoi l'Espagne ? Parce qu'avec beaucoup d'autres, vous avez perdu la mémoire.

Et aussi parce qu'avec un petit nombre de Français, il m'arrive encore de n'être pas fier de mon pays. Je ne sache pas que la France ait jamais livré des opposants soviétiques au gouvernement russe. Cela viendra sans doute, nos élites sont prêtes à tout. Mais pour l'Espagne, au contraire, nous avons déjà bien fait les choses. En vertu de la clause la plus déshonorante de l'armistice, nous avons livré à Franco, sur l'ordre de Hitler, des républicains espagnols, et parmi eux le grand Luis Companys. Et Companys a été fusillé, au milieu de cet affreux trafic. C'était Vichy, bien sûr, ce n'était pas nous. Nous, nous avions placé seulement en 1938, le poète Antonio Machado dans un camp de concentration, d'où il ne sortit que pour mourir. Mais en ce jour où l'État français se faisait le recruteur des bourreaux totalitaires, qui a élevé la voix ? Personne. C'est sans doute, Gabriel Marcel, que ceux qui auraient pu protester trouvaient comme vous que tout cela était peu de chose auprès de ce qu'ils détestaient le plus dans le système russe. Alors, n'est-ce pas ; un fusillé de plus ou de moins ! Mais un visage de fusillé, c'est une vilaine plaie et la gangrène finit par s'y mettre. La gangrène a gagné.

Où sont donc les assassins de Companys ? À Moscou ou dans notre pays ? Il faut répondre : dans notre pays. Il faut dire que nous avons fusillé Companys, que nous sommes responsables de ce qui a suivi. Il faut déclarer que nous en sommes humiliés et que notre seule façon de réparer sera de maintenir le souvenir d'une Espagne qui a été libre et que nous avons trahie, comme nous l'avons pu, à notre place et à notre manière, qui étaient petites. Et il est vrai qu'il n'est pas une puissance qui ne l'ait trahie, sauf l'Allemagne et l'Italie qui, elles, fusillaient les Espagnols de face. Mais ceci ne peut être une consolation et l'Espagne libre continue, par son silence, de nous demander réparation. J'ai fait ce que j'ai pu, pour ma faible part, et c'est ce qui vous scandalise. Si j'avais eu plus de talent, la réparation eût été plus grande, voilà tout ce que je puis dire. La lâcheté et la tricherie auraient été ici de pactiser. Mais je m'arrêterai sur ce sujet et je ferai taire mes sentiments, par égard pour vous. Tout au plus pourrais-je encore vous dire qu'aucun homme sensible n'aurait dû être étonné qu'ayant à choisir de faire parler le peuple de la chair et de la fierté pour l'opposer à la honte et aux ombres de la dictature, j'aie choisi le peuple espagnol. Je ne pouvais tout de même pas choisir le public international du *Reader's Digest* ou les lecteurs de *Samedi-Soir* et *France-Dimanche*.

Mais vous êtes sans doute pressé que je m'explique pour finir sur le rôle que j'ai donné à l'Église. Sur ce point, je serai bref. Vous trouvez que ce rôle est odieux, alors qu'il ne l'était pas dans mon roman. Mais je devais, dans mon roman, rendre justice à ceux de mes amis chrétiens que j'ai rencontrés sous l'occupation, dans un combat qui était juste. J'avais, au contraire, dans ma pièce, à dire quel a été le rôle de l'Église d'Espagne. Et si je l'ai fait odieux, c'est qu'à la face du monde, le rôle de l'Église d'Espagne a été odieux. Si dure que cette vérité soit pour vous, vous vous consolerez en pensant que la scène qui vous gêne ne dure qu'une minute, tandis que celle qui offense encore la conscience européenne dure depuis dix ans. Et l'Église entière aurait été mêlée à cet incroyable scandale d'évêques espagnols bénissant les fusils d'exécution, si dès les premiers jours deux grands chrétiens, dont l'un, Bernanos, est aujourd'hui mort, et l'autre, José Bergamin, exilé de son pays, n'avaient élevé la voix. Bernanos n'aurait pas écrit ce que vous avez écrit sur ce sujet. Il savait, lui, que la phrase qui conclut ma scène : "Chrétiens d'Espagne, vous êtes abandonnés", n'insulte pas à votre croyance. Il savait qu'à dire autre chose, ou à faire le silence, c'est la vérité que j'eusse alors insultée.

Si j'avais à refaire *L'État de siège*, c'est en Espagne que je le placerais encore, voilà la conclusion. Et à travers l'Espagne, demain comme aujourd'hui, il serait clair pour tout le monde que la condamnation qui y est portée vise toutes les sociétés totalitaires. Mais du moins, ce n'aurait pas été au prix d'une complicité honteuse. C'est ainsi et pas autrement, jamais autrement, que nous pourrons garder le droit de protester contre la terreur. Voilà pourquoi je ne puis être de votre avis lorsque vous dites que notre accord est absolu quant à l'ordre politique. Car vous acceptez de faire silence sur une terreur pour mieux en combattre une autre. Nous sommes quelques-uns qui ne voulons faire silence sur rien. C'est notre société politique entière qui nous fait lever le cœur. Et il n'y aura ainsi de salut que lorsque tous ceux qui valent encore quelque chose l'auront répudiée dans son entier, pour chercher, ailleurs que dans des contradictions insolubles, le chemin de la rénovation. D'ici là, il faut lutter. Mais en sachant que la tyrannie totalitaire ne s'édifie pas sur les vertus des totalitaires. Elle s'édifie sur les fautes des libéraux. Le mot de Talleyrand est méprisable, une faute n'est pas pire qu'un crime. Mais la faute finit par justifier le crime et lui donner son alibi. Elle désespère alors les victimes, et c'est ainsi qu'elle est coupable. C'est cela, justement, que je ne puis pardonner à la société politique contemporaine : qu'elle soit une machine à désespérer les hommes.

Vous trouverez sans doute que c'est là beaucoup de passion pour un petit prétexte. Alors, laissez-moi parler, pour une fois, en mon nom. Le monde où je vis me répugne, mais je me sens solidaire des hommes qui y souffrent. Il y a des ambitions qui ne sont pas les miennes et je ne serais pas à l'aise si je devais faire mon chemin en m'appuyant sur les pauvres privilèges qu'on réserve à ceux qui s'arrangent de ce monde. Mais il me semble qu'il est une autre ambition qui devrait être celle de tous les écrivains : témoigner et crier, chaque fois qu'il est possible, dans la mesure de notre talent, pour ceux qui sont asservis comme nous. C'est cette ambition-là que vous avez mise en cause dans votre article, et je ne cesserai pas de vous en refuser le droit aussi longtemps que le meurtre d'un homme ne semblera vous indigner que dans la seule mesure où cet homme partage vos idées.

TÉMOIGNAGE

DE JEAN-LOUIS BARRAULT

*Jean-Louis Barrault raconte ici l'histoire de sa collaboration avec Camus pour la composition et la mise en scène de* L'État de siège, *et il analyse les raisons de leur échec. Celui-ci ne porta pas ombrage à leur amitié : en 1956, Camus était sollicité par Barrault pour une adaptation du* Château, *de Kafka, et trois mois avant sa mort, il était en pourparlers avec lui en vue d'une série de représentations des* Possédés[1]. *Aucun des deux projets n'aboutit.*

*Ce texte est extrait de J.-L. Barrault,* Nouvelles réflexions sur le théâtre, *préface d'Armand Salacrou, «Bibliothèque d'esthétique», Flammarion, 1959 (p. 33-34). L'ouvrage fut mis en vente en décembre 1959, moins d'un mois avant la mort de Camus.*

Parmi les pièces que nous avons montées, je garde une certaine prédilection, sans aigreur, ni entêtement, ni défi, à deux fours : *L'État de siège*, de Camus et *Lazare*, d'André Obey.

Il m'est souvent arrivé de comparer le travail de mise en scène à la fabrication subtile d'une mayonnaise. De fait, une mise en scène «prend» comme «prend» la mayonnaise. Pendant six ou huit semaines, on tourne et retourne la pièce dans tous les sens, on l'agite, on la fait mousser, et soudain on sent sous sa fourchette que la matière durcit : la pièce prend corps, la mayonnaise «prend». Mais il arrive parfois aussi que, si le temps est à l'orage, si l'huile a été versée trop vite, rien ne prendra jamais. De même au théâtre : certains impondérables empêchent parfois la mayonnaise de «prendre». Cependant, les œufs, l'huile et la volonté étaient bons ! «La pièce n'a pas pris», dit-on. C'est le même terme.

C'est ce qui nous est arrivé avec Camus pour *L'État de siège*. Je continue toutefois de penser que *L'État de siège* renferme un des meilleurs sujets que l'on pouvait traiter, et qu'il y avait dans la pièce des moments exceptionnels. *L'État de siège* est

---

1. Voir Camus, *Carnets, III*, Gallimard, 1989, p. 251 et 257.

mon premier chagrin de théâtre. J'espérais beaucoup de cette toute fraîche collaboration avec Camus. J'admire l'homme et je m'entends bien avec lui. Nos rapports m'enthousiasmaient et, comme je crois qu'il n'y a d'homme de théâtre valable que ceux qui ont *des auteurs*, je souhaitais de tout mon cœur que Camus devînt *notre auteur*. Il me semblait qu'il pouvait y avoir là un attelage comparable à celui de Jouvet et de Giraudoux. *L'État de siège* n'était que le début de toute une œuvre : celle de Camus servie par nous. Bref, je formais dans ma petite tête les plus grands espoirs sur le tandem Camus-Barrault « deux bons petits cyclistes ardents et travailleurs »... Le soir de la « générale », les « gens de Paris » arrivaient mal à dissimuler leur joie, à l'idée que nous avions échoué ; j'en ressentis une douleur physique dont je porte encore la cicatrice.

C'était, pour l'ouverture de notre troisième saison, notre premier échec, et précisément, de tous les échecs imaginables, celui que j'aurais voulu le plus éviter.

Je savais que Camus, avec sa sensibilité, le porterait crânement, mais n'en serait pas moins atteint, et je me suis mis à craindre qu'il ne fût perdu pour nous. C'était l'un de mes plus chers espoirs qui risquait de s'évanouir.

Quelle faute avions-nous commise ? Car nous en avions sûrement commis une. Peut-être celle-ci.

Pour moi, la Peste était *salvatrice* par l'accumulation des forces noires développées jusqu'au paroxysme : conception initiatrice, magique, inspirée par Artaud. Cela devait donner à la pièce un lyrisme eschylien.

Pour Camus, la Peste ou le dictateur était le Mal, le mal social que seule la peur entretenait, mais que la suppression de la peur faisait fuir. Le style en était plus moderne, mais pouvait aussi devenir aristophanesque.

Le point commun entre nos deux sensations était la suppression de la peur, au-delà du plus grand désespoir.

Tant qu'on croit encore à la vie, on a peur ; mais dès qu'on absorbe pleinement l'idée de la mort, la peur disparaît et on se met à revivre, mais librement.

Et nous nous respections mutuellement. Je voulus, à un moment, donner à fond dans le style Aristophane ; Camus voulut conserver ce certain mystère tragique.

Et je crois bien que les gens sincères ne surent plus très bien si notre Peste était le sauveur par le plus grand mal, ou bien le mal dont il fallait se sauver.

La pièce connut cependant des soirs fanatiques. Les quelques personnes qui venaient, adoraient le spectacle. Et si la critique ne l'avait pas rouée de coups au départ, c'est tout à fait le genre de pièce qui aurait pu tout aussi bien être un succès.

Je sais qu'elle est fort appréciée depuis, à l'étranger. Et je reçois souvent des jeunes gens de tous pays qui viennent m'en parler.

Nous aurions voulu garder la pièce à l'affiche plus longtemps que nous n'avons pu le faire, mais « économiquement », cela nous aurait fait couler. Le chef de l'équipage que je suis responsable de près de cent personnes, il devait faire taire en moi l'amoureux de *L'État de siège*. Je n'eus plus qu'à ravaler mon chagrin et qu'à espérer que Camus nous apporterait *quand même* ses œuvres prochaines.

# BIBLIOGRAPHIE

## ÉDITIONS DE *L'ÉTAT DE SIÈGE*

Albert Camus, *L'État de siège*, Spectacle en trois parties, Gallimard, 1948 (1er dépôt légal : janvier 1949).

Albert Camus, *Théâtre, récits, nouvelles*, préface par Jean Grenier, textes établis et annotés par Roger Quilliot, « Bibliothèque de la Pléiade », Gallimard, 1962[1].

## AUTRES TEXTES DE CAMUS

*Carnets, I : mai 1935-février 1942*, Gallimard, 1962.
*Carnets, II : janvier 1942-mars 1951*, Gallimard, 1964.
*Carnets, III : mars 1951-décembre 1959*, Gallimard, 1989.

*Correspondance Albert Camus-Jean Grenier (1932-1960)*, Gallimard, 1981.

Albert Camus, *Essais*, introduction par Roger Quilliot, textes établis et annotés par Roger Quilliot et Louis Faucon, « Bibliothèque de la Pléiade », Gallimard, 1965.

---

1. L'absence d'un manuscrit ou d'un état dactylographié de la pièce n'a pas permis à R. Quilliot de donner de variantes dans son édition.

## TÉMOIGNAGES, ESSAIS
## ET ARTICLES

*Albert Camus. Le Théâtre*, études réunies par Raymond Gay-Crosier, sous la direction de Brian T. Fitch, « La Revue des Lettres modernes », n° 7 de la série *Albert Camus*, 1975.

*Albert Camus et le Théâtre*, textes réunis par Jacqueline Lévi-Valensi (actes du colloque tenu à Amiens du 31 mai au 2 juin 1988), IMEC Éditions, 1992.

ALTER André, « De *Caligula* aux *Justes*, de l'absurde à la justice », *Revue d'Histoire du théâtre*, 4, 1960 (extraits concernant *L'État de siège* dans Jacqueline Lévi-Valensi, *Les Critiques de notre temps et Camus*).

AUTRAND Michel, « *L'État de siège* ou le rêve de la Ville au théâtre », dans *Albert Camus et le théâtre*, ouvrage cité.

BARRAULT Jean-Louis, *Nouvelles réflexions sur le théâtre*, préface d'Armand Salacrou, « Bibliothèque d'esthétique », Flammarion, 1959.

BARTFELD Fernande, *L'Effet tragique. Essai sur le tragique dans l'œuvre de Camus*. Préface de Jacqueline Lévi-Valensi, Champion-Slatkine, Paris-Genève, 1988.

BARTFELD Fernande, « Le théâtre de Camus, lieu d'une écriture contrariée », dans *Albert Camus et le théâtre*, ouvrage cité.

COOMBS Ilona, *Camus, homme de théâtre*, Nizet, 1968.

FREEMAN Edward, *The Theatre of Albert Camus. A Critical Study*, Methuen & Co, Londres, 1971.

GAY-CROSIER Raymond, *Les Envers d'un échec. Étude sur le théâtre d'Albert Camus*, coll. « Bibliothèque des lettres modernes », Minard, 1967.

GRENIER Roger, *Albert Camus. Soleil et ombre. Une biographie intellectuelle*, Gallimard, 1987 ; Folio, 1991.

LEBESQUE Morvan, *Camus par lui-même*, coll. « Écrivains de toujours », Le Seuil, 1963.

LEBESQUE Morvan, « La passion pour la scène », dans *Albert Camus*, coll. « Génies et réalités », Hachette, 1964.

LÉVI-VALENSI Jacqueline, *Les Critiques de notre temps et Camus*, Garnier, 1970.

MELCHINGER Siegfried, « Les éléments baroques dans le théâtre de Camus », dans *Albert Camus, configuration critique*,

«La Revue des Lettres modernes», n° 4 de la série *Albert Camus*, 1964.

QUILLIOT Roger, *La Mer et les Prisons. Essai sur Albert Camus*, Gallimard, 1956.

TODD Olivier, *Albert Camus, une vie*, «NRF Biographies», Gallimard, 1996.

TRUCHET Jacques, «*Huis-clos* et *L'État de siège*, signes avant-coureurs de l'anti-théâtre», dans *Le Théâtre moderne*, II, CNRS, 1967.

Signalons aussi le numéro de la revue *L'Avant-Scène* consacré à Albert Camus, «*Révolte dans les Asturies*», «*L'État de siège*» et *richesses théâtrales d'Albert Camus*, n° 413-414, 1er-15 novembre 1968.

## OUVRAGES GÉNÉRAUX

BEIGBEDER Marc, *Le Théâtre en France depuis la Libération*, Bordas, 1959.

SURER Paul, *Le Théâtre français contemporain*, SEDES, 1964.

# NOTES

*Page 35.*

Homme : transposition euphoniquement peu heureuse de l'apostrophe espagnole : « Hombre ! »

*Page 37.*

Nada : nada, comme il sera dit plus loin, signifie « rien » en espagnol.

*Page 53.*

*Les Esprits* : vers 1940, Camus adapta une comédie de Pierre de Larivey (v. 1540-v. 1612) intitulée *Les Esprits* (1579). Voir le texte de cette adaptation dans *Théâtre, récits, nouvelles*, Pléiade, p. 443-519).

*Page 102.*

Coupables : « Il me faut des coupables », disait l'empereur dans *Caligula* (Acte I, scène 11).

*Page 105.*

Gouvernement : « En somme, le condamné était obligé de collaborer moralement. C'était son intérêt que tout marchât sans accroc » (*L'Étranger*, dans *Théâtre, récits, nouvelles*, p. 1204).

*Page 161.*

Insurgés : dans *L'Homme révolté* (chapitre III), cette phrase trouvera son application à propos des dictatures de l'Est plus que de celles de l'Ouest.

*Page 175.*

Bourreaux : « Je ne déteste que les bourreaux », écrit Camus dans la Préface à l'édition italienne des *Lettres à un ami allemand* (*Essais*, Pléiade, p. 219).

# RÉSUMÉ

## PREMIÈRE PARTIE

*Prologue* — Le peuple de Cadix observe l'arrivée dans le ciel d'une comète. C'est « la comète du mal ». Nada, qui ne croit à rien, voit dans cette apparition « l'heure de la vérité ». Le juge Casado, qui croit en Dieu, l'interprète comme l'heure du châtiment des hommes. Diego, qui doit épouser bientôt la fille du juge, s'oppose à Nada et affirme sa volonté d'être heureux. *(Fin du Prologue).*

Le chœur, plein d'allégresse, chante les bontés de la nature. Diego et Victoria célèbrent leur bonheur futur. En affirmant sa volonté que rien ne change, le gouverneur donne un nouvel élan à la joie du chœur. Un comédien, brusquement, s'effondre. C'est la peste. Le curé appelle à l'expiation, l'astrologue prédit le malheur, la sorcière propose des remèdes. Diego repousse Victoria, accourue vers lui, de peur de la contaminer. Survient un homme en uniforme, accompagné d'une secrétaire également en uniforme ; il demande au gouverneur de lui céder sa place. Le gouverneur commence par refuser, mais quand l'homme a révélé qui il était (la peste) et donné des signes de son pouvoir, le gouverneur accepte, pour éviter le pire, de composer avec lui. Le chœur appelle à courir vers la mer, d'où viendra le salut, puis se désole quand il constate que les portes se sont fermées. La peste, dans un long discours, annonce aux citoyens de Cadix qu'ils vont apprendre à mourir dans l'ordre et elle sollicite leur collaboration active.

## DEUXIÈME PARTIE

La peste et sa secrétaire interrogent et terrorisent les habitants de la cité. En révélant son nom, Nada s'annonce comme un précieux auxiliaire. Commencent alors les déportations, les concentrations et la grande entreprise de culpabilisation des citoyens. Avec la complicité de Nada, la politique de la peste déchaîne ses absurdités administratives. Diego clame son innocence et celle de ses concitoyens ; on lui inflige les marques de la maladie. Victoria s'oppose violemment à son père, qui consent à la loi, puis elle et Diego s'avouent leurs faiblesses réciproques, avant que l'amour ne les unisse à nouveau, Victoria acceptant dans une étreinte de prendre aussi sur elle les marques de Diego. Le batelier présente à Diego la tentation du départ. Diego surmonte enfin sa peur et affronte la secrétaire, c'est-à-dire la mort.

## TROISIÈME PARTIE

Diego appelle ses concitoyens à vaincre leur peur. La peste et sa secrétaire comprennent qu'elles vont devoir amplifier leur entreprise de terreur, mais la secrétaire s'avoue désormais impuissante contre Diego puisqu'il n'a plus peur. Le chœur recommence à chanter l'espoir. Nada appelle au suicide collectif. Diego offre sa propre vie à la peste en échange de celle de Victoria, mais la peste lui propose un autre marché : la vie sauve à tous deux pourvu que Diego la laisse s'arranger avec le reste de la ville. Diego refuse et subit de nouvelles marques de la maladie. Victoria l'appelle à choisir son amour pour elle ou, à défaut, à la laisser mourir avec lui, mais Diego tente de la persuader que le monde a besoin des femmes. Il meurt devant Victoria. Le vent souffle, libérateur ; il accompagne le suicide de Nada dans la mer.

# DU MÊME AUTEUR

*Composition Interligne.*
*Impression Société Nouvelle Firmin-Didot*
*à Mesnil-sur-l'Estrée le 24 septembre 1998.*
*Dépôt légal : septembre 1998.*
*Numéro d'imprimeur : 44253.*

ISBN 2-07-040036-0/Imprimé en France.

**75805**